Nomades en pays maori

Du même auteur

L'aventure d'un médecin sur la Côte-Nord, récit de voyage, Montréal, Trécarré, 1986.
Pour moi... la mer..., recueil de poésie, Québec, Le Palindrome éditeur, 1988.
Un dernier cadeau pour Cornélia, recueil de nouvelles, Montréal, XYZ éditeur, 1989.
La saga de Freydis Karlsevni, conte, Montréal, l'Hexagone, 1990.
Miction sous les étoiles, recueil de poésie, Québec, Le Palindrome éditeur, 1990.
Urgences, récits et anecdotes/Un médecin raconte, recueil de nouvelles, Québec, Éditions La Liberté, 1990.
La rêverie du froid, essai, Québec, Éditions La Liberté/Le Palindrome, 1991.
Baie Victor, roman, Québec, Le Septentrion, 1992.
Kavisilaq/Impressions nordiques, recueil de poésie, Québec, Le Loup de Gouttière, 1992.
Voyage au nord du Nord, récit de voyage, Québec, Le Loup de Gouttière, 1993.
Docteur Wincot, recueil de nouvelles, Québec, Le Loup de Gouttière, 1995.
L'espace Montauban/Le dernier roman scout, roman, Québec, Les Éditions La liberté, 1996.
Lettres à ma fille, récit de voyage, Québec, Le Loup de Gouttière, Québec, 1997.
Ô Nord, mon Amour, recueil de poésie, Québec, Le Loup de Gouttière, 1998.
Nunavik/Carnets de l'Ungava, essai poétique, Montréal, Les Heures bleues, 2000.
Le coureur de froid, roman, Montréal, XYZ éditeur, 2001.
Du fond de ma cabane. Éloge de la forêt et du sacré, méditations, Montréal, XYZ éditeur, coll. « Étoiles variables », 2002 ; coll. « Romanichels poche », 2003.

Nomades en pays maori

Propos sur la relation père-fille

récit de voyage

La publication de cet ouvrage a été rendue possible grâce à l'aide financière du ministère du Patrimoine canadien par l'entremise du Programme d'aide au développement de l'industrie à l'édition (PADIÉ), du Conseil des Arts du Canada (CAC), du ministère de la Culture et des Communications du Québec (MCCQ) et de la Société de développement des entreprises culturelles (SODEC).

1781, rue Saint-Hubert
Montréal (Québec)
H2L 3Z1
Téléphone : 514.525.21.70
Télécopieur : 514.525.75.37
Courriel : info@xyzedit.qc.ca
Site Internet : www.xyzedit.qc.ca

Dépôt légal : 3e trimestre 2003
Bibliothèque nationale du Canada
Bibliothèque nationale du Québec
ISBN 2-89261-374-4

Distribution en librairie :
Canada :
Dimedia inc.
539, boulevard Lebeau
Ville Saint-Laurent (Québec)
H4N 1S2
Téléphone : 514.336.39.41
Télécopieur : 514.331.39.16
Courriel : general@dimedia.qc.ca

Europe :
D.E.Q.
30, rue Gay-Lussac
75005 Paris, France
Téléphone : 1.43.54.49.02
Télécopieur : 1.43.54.39.15
Courriel : liquebec@noos.fr

Conception typographique et montage : Édiscript enr.
Maquette de la couverture : Zirval Design
Photographie de la couverture : Danielle Bouchard, *Hallucination d'un Éden… sur cette Terre qui a si mal…*, 2001
Photographie de l'auteur : Aude Rigault

Imprimé au Canada

À Isabelle

Il me faut remercier ceux et celles qui ont accepté de me lire. Sans leur patience, sans leurs critiques, ce livre n'aurait pas été le même. Merci à Mélie de Champlain, Maurice Émond, Karine Poitras, Louis-Jean Thibault et André Vanasse. Merci à Alix Renaud, poète et linguiste. Et merci à Hannah Ayukawa et Isabelle Désy, mes premières et ultimes lectrices pour ce texte !

Bout du monde ! Bout du monde ! Ce n'est pas loin !
On croyait au fond de soi faire un voyage à n'en plus finir
Mais on découvre la platitude de la terre.
La Terre notre image
Et c'est maintenant le bout du monde cela
Il faut s'arrêter
On en est là

HECTOR DE SAINT-DENYS GARNEAU

Carte de la Nouvelle-Zélande

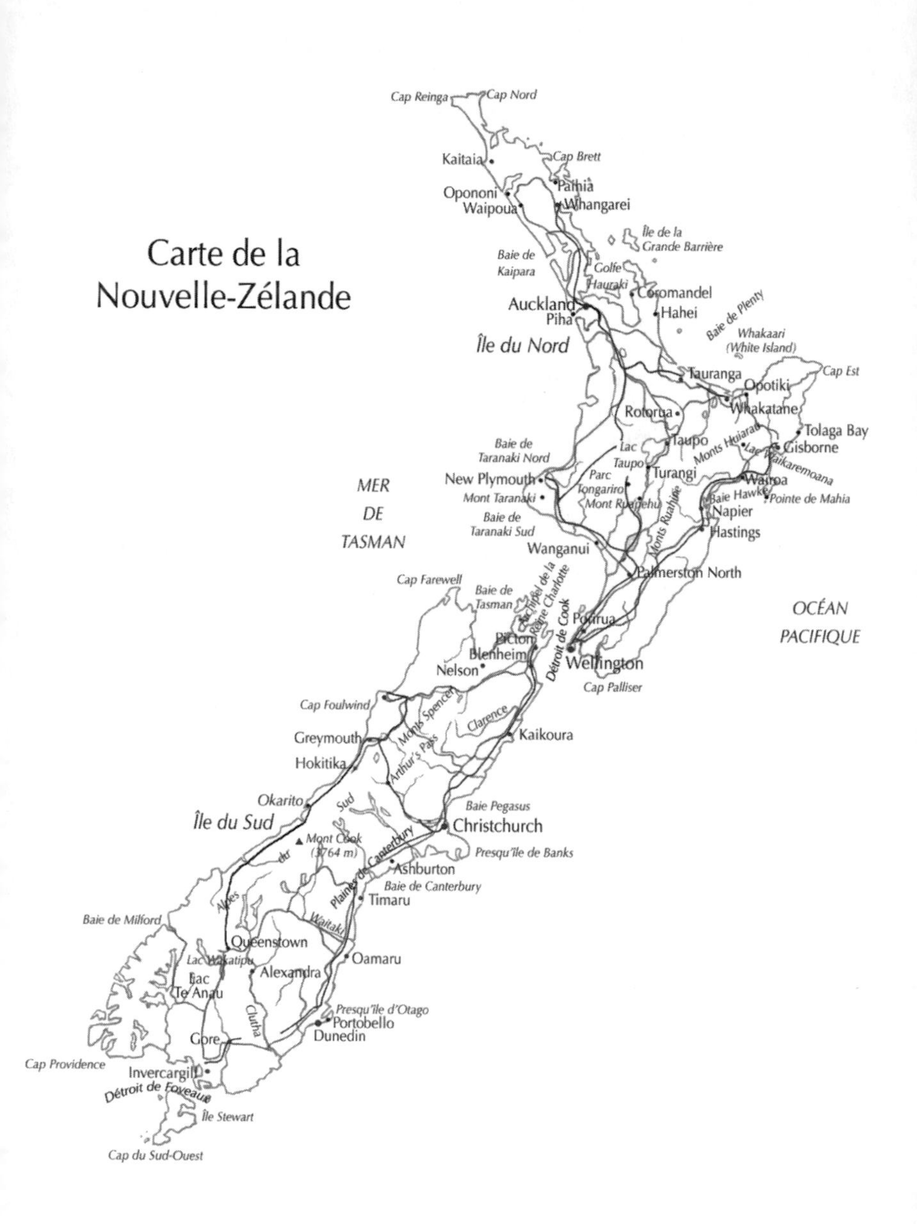

1

Partir, c'est frissonner en se demandant si l'on reverra jamais ceux et celles qu'on aime. Mais partir, d'une certaine manière, c'est aussi vouloir se rapprocher de ceux et de celles qu'on aime. Car partir, pour un nomade, ce n'est jamais fuir. C'est plutôt rester en quête.

Je pars en laissant derrière moi des airs éminemment doux et bons à respirer. J'abandonne le Nord. Aujourd'hui, je me dirige vers le Sud, mais vers un Sud inhabituel, tout à fait différent de ceux que j'ai connus jusqu'ici dans ma vie. Ce que je vise, ce sont les antipodes. J'abandonne des êtres aimants qui me permettent d'être moi-même et, surtout, une petite fille de douze ans, ce qui est quasiment impardonnable. Pourtant, je pars. Je ne souhaitais pas autre chose qu'une nouvelle expédition, et, cette fois, avec Isabelle, ma fille aînée.

Il y a de l'eau, beaucoup d'eau sous nous, à la grandeur de l'océan Pacifique, et des petits bateaux partis à l'aventure, tout comme nous.

Isabelle dort dans le corps de cet oiseau d'aluminium où nous avons pris place, tandis que, moi, les yeux grands ouverts... Mais quand donc dormirai-je ? Peut-être jamais, c'est ce qu'on se dit quand on n'arrive même pas à sommeiller, parce que l'esprit surexcité aborde des terres où l'imagination a tout le loisir de vagabonder.

Il y a quelques heures, à l'aéroport de Los Angeles, nous avons croisé une famille maorie, deux adultes et une fillette. Les ressemblances avec les Indiens cris que j'ai connus dans le Moyen-Nord du Québec m'ont semblé évidentes. Ce qui m'a touché, c'était leur attitude. Ces gens ont le don de ne pas s'énerver avec les voyageries. Il n'y a qu'à observer leur manière d'être en attente. Ils paraissent moins attachés au temps qui passe... Ma fille de seize ans et moi, nous passerons beaucoup de temps en Nouvelle-Zélande. Mais saurons-nous faire en sorte que le voyage prenne des allures d'éternité ?

J'ai été engagé pour travailler à Wairoa, village de cinq mille personnes situé sur la côte est de l'île du Nord, dans la région de Hawkes Bay. Et si le destin me conduisait dans cette contrée pour que je m'y enracine ? Je rêve. Je rêvais d'Aotearoa depuis longtemps. Ma rêverie va bientôt se concrétiser. Tous les papiers sont en règle pour que le voyage dure au moins un an. Reviendrai-je en Amérique ? Comment retrouverai-je mon Nord et ses airs grisants ? Trois autres enfants m'attendent. Je reviendrai donc. Mais d'ici là, je compte adopter ce pays nouveau. La vie de ma fille et la mienne seront évidemment transformées par le contact avec les Maoris. Isabelle pourrait-elle tomber amoureuse d'un *warrior*? J'imagine leur descendance, les voyages aller-retour aux antipodes. J'imagine, j'imagine…

Je crois que nous sommes d'abord des êtres d'imagination et que la vie, notre vie, n'est qu'une vaste somme d'imaginations. Le fait de croire, et d'avoir foi en l'imaginaire, agit sans aucun doute sur la réalité, sur toutes les réalités. C'est comme ça quand on croit mordicus aux forces liant les âmes qui flottent, innombrables et silencieuses, dans l'espace. En route pour le tréfonds de l'Occident, je reprends contact avec le Sens. Il s'agit que je sois forcé de sortir du chemin de ma vie, celui qui m'est essentiel, pour que j'éprouve immédiatement un mal profond, pour que mon existence cesse d'être influencée par des événements synchroniques tous plus signifiants les uns que les autres.

En ce moment, j'avance dans ma vie. Mais, surtout, j'avance en état de plus grande lucidité quant à l'amour qui me lie à mes enfants. Je suis parti avec Isabelle par passion, pour lui offrir le meilleur de moi-même, essentiellement le moins ordinaire, le moins mesquin, le moins petit. J'espère de toutes mes forces être à la hauteur. En ce moment, j'avance dans l'exact tracé existentiel qui est le mien. Mais sans ma fille, sans mon désir si puissant de vivre auprès d'elle la vie quotidienne comme la vie aventureuse, peut-être n'aurais-je jamais trouvé la force ni la belle folie pour tout mettre en branle.

2

Dans Auckland, la métropole, règnent toutes sortes d'odeurs printanières. Nous sommes aux premiers jours d'octobre. Des milliers d'arbres sont en fleurs. Dans le port, sur les quais, je joue à imiter les guerriers maoris en tirant la langue et en écarquillant les yeux le plus possible pour paraître épouvantable. Isabelle n'aime pas que son père fasse le bouffon en pleine rue, ni à Auckland, ni à Montréal, ni à Paris. Ma fille préfère se laisser imprégner par les premières senteurs, les premiers sons, les premières images de la Nouvelle-Zélande. Elle dit rêver de volcans, de dauphins et du parc de Rotorua avec ses sources thermales. Nous ne comptons pas rester bien longtemps dans cette grande ville.

Si les environs d'Auckland sentent le frais, le centre, où nous habitons depuis hier, est bruyant, cosmopolite, nerveux et malpropre. Les autos vont à gauche et ralentissent peu pour les visiteurs à pied qui n'ont pas encore le réflexe de regarder du bon côté. Dans les restaurants, on sert de grosses portions à l'américaine. Déjà, j'ai hâte d'atteindre les montagnes, là où d'anciens glaciers ont vêlé, puis de gagner la côte est du Pacifique, là où les baleines ont encore le goût de faire des pirouettes. Demain, nous partirons pour Wairoa. Nous avons acheté une voiture d'occasion. J'aime les petits bleds perdus sur les cartes. Pour moi, c'est là que tout devient possible, et puis, il n'y a jamais trop de vacarme, théoriquement. Mon travail ne devrait commencer que la semaine prochaine.

Auckland couvre une région qui, deux cents ans plus tôt, devait être une espèce de paradis sur Terre. Les ramifications urbaines ont poussé au nord et au sud d'un isthme séparant la mer de Tasmanie de l'océan Pacifique. Un pont fait ainsi la démarcation entre deux géants ! Il y aurait à Auckland plus de cent mille voiliers, c'est-à-dire un bateau pour dix personnes ! Les gens, Blancs ou Asiatiques, semblent pressés, comme dans bien d'autres villes du monde. Quelques pauvres quêtent dans la rue ; plusieurs sont Maoris, Tongas ou Samoas. J'ai hâte d'en savoir plus long sur les premiers habitants de ces îles, sur leur histoire, un peu comme j'en sais davantage maintenant sur les Inuits du Nunavik ou sur les Cris de la baie James, sur leurs problèmes, sur leurs qualités aussi. Comme les Autochtones, chez nous, les Maoris aiment blaguer. L'humour demeure sans conteste une façon privilégiée de s'ouvrir au monde, puis de le tolérer.

Les Maoris sont-ils plus heureux que les Cris du Nouveau-Québec ? Je ne sais trop. Qu'est-ce que le bonheur pour un mendiant qui fouille dans une poubelle de la rue Queen, à Auckland, ou pour un jeune cadre fonceur qui boit son café noir en vitesse à sept heures du matin, l'air soucieux, avant de s'enfoncer dans l'un des longs corridors de son édifice à bureaux ? Le bonheur me semble un état de grâce bien fugace. Je me prépare à gagner ma vie, ce qui n'est pas rien, mais je le fais sans savoir combien de temps cela durera, dans l'intemporalité, en quelque sorte. Cette situation, le fait de ne pas savoir le temps exact qu'il nous faudra pour arriver à Wairoa, comme le temps que nous y passerons, n'est pas pour me déplaire.

De manière à fêter notre arrivée en terre kiwie, pour souper, nous mangeons des *fish and chips* concoctés avec une espèce de carpe délicieuse appelée *tarahiki.* De retour dans notre chambre, alors que ma fille s'apprête à écouter de la musique, elle subit sa première déconvenue « technique » ; juste après qu'elle a branché son appareil portatif – radio, lecteur de disques compacts et réveille-matin intégrés –, une petite fumée bleue s'échappe du boîtier. Elle avait oublié que les caractéristiques du courant électrique, ici, n'ont rien à voir avec ceux d'Amérique. Isabelle prend la chose en riant. J'apprécie son détachement. Du même coup, je m'assure que mon ordinateur portable est bien muni d'un transformateur adéquat. Aurais-je été capable du même calme si mon propre appareil s'était désintégré devant moi ?

3

Une centaine de kilomètres au sud d'Auckland, nous stoppons à la station thermale de Rotorua. De toute évidence, on a repensé de fond en comble cette petite ville en fonction des touristes, ce qui lui enlève de la vie vraie, sans cependant lui retirer son charme, indéniable. Tout près de quelques constructions de style victorien, devant un immense château, des messieurs et des dames habillés tout en blanc jouent au croquet. D'une maison au toit pointu avec de grandes lucarnes s'échappe une musique étrange, comme si un vieux gramophone jouait sans arrêt depuis quelques siècles. Retour au temps de la gloire du *British Empire.* Mais, maintenant que l'empire de la reine Victoria s'est disloqué, il faut composer avec l'*Hollywoodian Empire*…

Mais quelle splendeur, ce pays ! Les arbres, impressionnants, ont l'air en parfaite santé. En direction de Wai-O-Tapu, zone thermale déclarée réserve naturelle, le chemin passe sous une élégante tonnelle tissée de fougères géantes : des *pongas.* Nous décidons d'y faire une pause. Selon le *Lonely Planet*, il ne resterait que dix pour cent de forêts naturelles en Nouvelle-Zélande, autour de certains lacs, dans quelques réserves, particulièrement dans l'île du Sud qui est moins peuplée. Il fait un temps printanier qui nous donne envie de gambader, de sauter les clôtures, de chanter. Isabelle joue agréablement le jeu des photos, sortant ses plus belles grimaces de guerrière maorie. Elle qui me les reprochait... Je suis un peu surpris. Elle n'aime habituellement pas que je la prenne en photo...

À Wai-O-Tapu, des sentiers conduisent tout près de cratères qui exhalent de puissantes odeurs de soufre, remplis de liquides multicolores. Les visiteurs, dont nous faisons partie, font comme partout sur la planète, ils déambulent, l'air un peu désabusés. Une permanente senteur de pet provient des trous du diable. La vie peut-elle se perpétuer à proximité d'une telle puanteur ? Sur les flancs jaunes d'une béance, j'aperçois un couple d'étourneaux qui a fait son nid. La chaleur contribue apparemment à l'incubation des œufs. Ici, les lacs bouillonnants deviennent jaunes lorsqu'ils sont soufrés, orange lorsqu'ils sont semés d'antimoine, verts lorsque pleins d'arsenic, noirs quand le carbone domine et violets au contact du manganèse. Cette région volcanique est depuis longtemps vénérée par les Maoris. Une éruption reste toujours possible. Dans cinq minutes, peut-être ? Isabelle ne me trouve pas drôle avec mes idées d'éruption. L'index en l'air, elle me suggère de me calmer.

Dans les montagnes bordant le Pacifique, sur la route entre Napier et Wairoa, je pense aux chemins de la Gaspésie d'il y a trente ans. Sentiers pour amateurs de sensations fortes. Les moutons ont brouté de nombreux sommets. Plusieurs collines sont piquées de pins blancs qui mettent à peine vingt-cinq années avant que le diamètre de leur tronc dépasse soixante centimètres ! Depuis un siècle et demi, ce pays a été habité, cultivé et livré au bétail par des Européens venus y faire fortune, Irlandais, Écossais, Danois, Allemands et Anglais.

À notre arrivée à Wairoa, on nous loge dans un appartement jouxtant une maisonnette, au sommet d'une colline d'où l'on aperçoit une partie du village. La mer n'est pas loin. Pourtant, les habitations se lovent toutes autour de la rivière plutôt que d'être étalées sur la grève ou devant le lagon. Il pleut, ce qui rend tout à coup le temps beaucoup plus automnal. Dans l'appartement, une petite chaufferette nous garde au chaud. Dehors, un citronnier arbore pourtant une pleine charge de beaux fruits jaune soleil.

Un oiseau de la taille d'un merle vient chanter sous la fenêtre de ma chambre. Il cherche des vers dans la pelouse. Dès qu'il se rend compte de ma présence, il s'enfuit. Un merle de Nouvelle-Zélande ? Chaque arbre, chaque feuille, chaque envol différent me ramènent aux antipodes. J'ai pourtant la bizarre impression de me trouver dans le monde nordique, quelque part entre Québec et Puvirnituq, au Nunavik, même si j'ai atterri dans une région plus volcanique, mais tout aussi imprégnée de l'esprit aborigène.

Profitant d'un congé de quatre jours, nous comptons nous rendre au parc Urewera. Isabelle se demande si elle pourra enfin apercevoir un vrai kiwi des bois, cet oiseau qui ne vole pas, tout rond et au long bec, emblème de la Nouvelle-Zélande, et que l'on dit capable de botter l'arrière-train à un petit chien.

4

Nous quittons Wairoa pour pénétrer dans les terres en direction ouest, vers le lac Waikaremoana. En maori, *moana* veut dire « lac », *wai* se traduit par « eau » et *kare* par « vagues ». La route, sinueuse à souhait, en gravelle sur de longues portions, s'avère dangereuse pour quiconque conduit trop vite. Les ponts ne permettent le passage que d'une seule auto à la fois. Le gouvernement de la Nouvelle-Zélande a peu investi dans son réseau routier, c'est évident, mais personne ne paraît s'en plaindre. Après des lacets qui rendent Isabelle un peu nerveuse, sur un chemin toujours sans garde-fous, nous parvenons enfin au lac, large tache bleu foncé ouverte sur les bleus plus pâles du ciel, au milieu d'un tissu de troncs moussus et de fougères géantes, *pongas* et *piupius.* Agrippés au flanc des montagnes, en équilibre au-dessus des précipices, nous longeons le lac jusqu'à un petit terrain de camping situé sur la rive nord-ouest. Peu à peu, le temps s'éclaircit.

Une fois la tente montée, nous partons à pied en direction des chutes Makau et cheminons dans une forêt aux allures jurassiques, véritable terrain de jeu pour Ewoks et autres trolls, elfes et dralas. Au soleil couchant, nous faisons demi-tour. Pendant la nuit, la température tombe sous le point de congélation. Même dans nos sacs de couchage, nous arrivons à peine à nous tenir au chaud. Au matin, après le déjeuner, nous apercevons notre premier cygne d'Australie, à quelques mètres de nous, tout brun, au bec rouge. Il patauge dans l'eau calme, l'air hautain, tout en faisant semblant de ne pas nous voir. Sur le rivage, une femelle *putangitangi* (*Tadorna variegata*), tête blanche et corps dodu, semble fuir un mâle qui ne cherche qu'à lui conter fleurette. Ils ont passé la nuit à jacasser près de la tente.

Un Kiwi (habitant de la Nouvelle-Zélande) en promenade sur le bord du lac nous jure avoir entendu, la nuit dernière, un kiwi faire « kiwi, kiwi ». Un peu plus et il nous racontait que les kiwis mangent des kiwis au pays des Kiwis ! Mais les volatiles kiwis étant rares, en voie d'extinction dans certaines régions à cause des prédateurs, les chiens en particulier, il y a peu de chances pour que nous fassions la rencontre d'un de ces noctambules.

Nous partons en randonnée sur un sentier qui ceinture le lac. À cinq cents mètres au-dessus de l'eau, un faucon de Nouvelle-Zélande (*Falco novaeseelandiae*) plonge, frôle la surface de l'eau, remonte, puis revient planer devant nos yeux. Il y a du frimas dans l'herbe. À mille cent mètres d'altitude, nous traversons plusieurs plaques de neige. Une espèce de petit pinson, caché dans les taillis, lance trois notes : « mi-fa-sol ». Il va inlassablement répéter son chant comme s'il ne devait jamais s'arrêter ou comme s'il attendait que viennent se joindre à lui d'autres musiciens. Inconsciemment, je me mets à siffloter les trois mêmes notes, alors qu'Isabelle, qui connaît la musique, entonne la chanson : « Non, jamais, j'n'oublierai, le petit coupeur de paille, non, jamais, j'n'oublierai, le petit coupeur de blé ! » Cet air-là va nous rester dans la tête toute la journée. Les oiseaux des antipodes s'inventent des musiques qui ne sont pas si différentes de celles d'Amérique ou d'Europe. Je pense au chant du bruant à gorge blanche, symbole des grandes étendues boréales. Je pense à la musique des débuts du monde, à l'harmonie qui précédait l'arrivée des humains sur terre, et qui leur survivra. Il y a longtemps que les oiseaux révèlent au monde entier une musique que les artistes perçoivent grâce à leur sensibilité.

Peu avant le premier refuge, fatigués, nous rebroussons chemin. La nuit a été brève. Nous croisons alors une dizaine de randonneurs, sac au dos, qui s'apprêtent à vivre le trek au complet. Une fois de retour sur la route, nous faisons monter un Allemand. Visiblement, il espérait qu'on l'aide à sortir du bois. Originaire de Frankfurt, il a marché en solitaire pendant cinq jours. Comme il n'a pas encore décidé vers quel point cardinal il allait se diriger, nous lui proposons de découvrir en notre compagnie Mahia Beach, un peu au nord de Wairoa.

Il y a là des surfeurs, des pêcheurs, des bateaux de plaisance, du sable doux et un soleil de fin de journée. Pareils à des enfants, nous ramassons des coquillages et des petits morceaux de bois polis. Puis, l'Allemand nous salue et part de son côté, content d'avoir gagné le bord de la mer.

L'autre réalité va bientôt nous rattraper. Isabelle commencera ses cours. Cela fait partie de son aventure de poursuivre l'année scolaire en Nouvelle-Zélande. Mais tout sera à l'envers pour elle, puisque les classes vont se terminer à la fin de novembre. Tout comme moi cependant, elle a surtout le cœur à la découverte du pays, à l'exploration de ses plages, de ses lacs et de ses forêts. Elle se dit enthousiaste à l'idée de rencontrer d'autres élèves de son âge, en majorité maoris. Moi, je travaillerai comme médecin, pour être utile et pour gagner des sous. Elle, elle étudiera l'anglais et d'autres matières. Mais tous les deux, nous ne ferons qu'attendre la première occasion de prendre le large !

5

L'air est remarquablement pur au pied des volcans Tongariro, Ruapehu et Ngauruhoe, à peu de distance de Whakapapa. En maori, les *Wh* se prononcent *F.* Ces appellations sont délicieuses à l'oreille, faciles à retenir, chantantes, plutôt françaises dans leur prononciation. Tout est si chantant ici, la forêt pleine d'explosions de vert tendre. Certains arbres, les ormes en particulier, portent encore des bourgeons.

Le long du Tongariro Crossing, dans le parc national du même nom, nous trébuchons sur les pierres des premiers volcans de notre vie. Au loin, comme toile de fond, une large montagne blanche domine le paysage : le Ruapehu. Sa dernière éruption date de 1995. Isabelle montre un peu de nervosité parce que nous allons dormir tout près de ce volcan. Irait-il jusqu'à nous cracher son magma sans crier gare ? Je dis oui, bien entendu, en riant, pour faire le fanfaron. Isabelle choisit de rire elle aussi.

Je vis avec ma fille un voyage, que dis-je, une extraordinaire équipée, au cœur d'un pays de carte postale où la Nature, généreuse, a omis d'inventer les mouches, moucherons, bestioles et autres maringouins si détestables dans nos étés d'Amérique du Nord. Je me sens gâté de pouvoir profiter avec elle, comme jamais auparavant, de chaque événement. Je suis heureux, très heureux. Qu'est-ce qu'un père peut offrir de mieux à sa fille que le meilleur de lui-même ? Et qu'est-ce qui unit un père et sa fille quand ils passent des heures à voyager en auto ? La musique de Plume, de Pink Floyd, de Richard Desjardins et de Paul Piché, en plus des airs pour clarinette du groupe Raoul.

À partir de Whakapapa, nous empruntons un chemin de traverse dans le *bush*, jusqu'à Mangatepopo. Puis, de là, nous entreprenons la randonnée. Chaque pas le long de ce sentier où il a plu des pierres noires paraît nous conduire vers une oasis. Les senteurs doucement épicées, dégagées par les arbustes, me donnent envie de chanter. Je m'envolerais comme un oiseau. Nous suivons les méandres d'un petit ruisseau, puis commençons la montée, sous un ciel bleu acier, dans la beauté des monolithes figés sur la tourbe. Isabelle ne cesse de s'exclamer. L'ébahir faisait partie de mes plans pour la semaine. Si nous avions le temps, nous pourrions continuer la grimpée et toucher au sommet du Ngauruhoe, à deux mille deux cent quatre-vingt-sept mètres. Mais nous aurions dû nous lever à l'aube. Nous nous promettons de revenir. Des fumerolles nous indiquent que le volcan reste bel et bien actif. Le dernier cataclysme a eu lieu en 1991. Isabelle accélère et passe devant. Elle trouve que j'ai l'air handicapé avec mes bâtons de marche. Fière de son corps neuf, elle ne se gêne pas pour faire allusion à mon âge.

Relative vieillesse. Je me sens vieux, parfois, quand je me compare à ma fille, surtout quand elle me rappelle qu'elle a seize ans et que j'en ai trente de plus qu'elle. Elle me trouve vieux, parfois, c'est indéniable, je le sais et c'est bien ainsi. Par ailleurs, très souvent, je ne suis pas vieux, même à ses yeux. Elle oublie la différence. Elle oublie même que je suis son père. Elle agit parfois comme si j'étais l'un de ses camarades. J'agis aussi, parfois, sans tenir compte qu'elle est ma fille. Ni plus ni moins, elle devient ma compagne de voyage. J'essaie d'être au diapason de ce qui bouge autour de moi. Je saute alors dans les airs à la même hauteur que ma fille. Nous chantons les mêmes chansons avec le même enthousiasme.

Dominés par le Ngauruhoe, nous traversons une immense cuvette remplie de sable, comme si on l'avait aménagée pour une partie de baseball. Le Tongariro, plus au nord, en impose par sa masse. Bientôt, nous sommes rejoints par un marcheur français qui porte un bébé sur son dos. Répondant à nos salutations, il s'épanche sur les beautés du Tongariro Crossing, considérant toutefois que rien n'égale la splendeur des Alpes françaises. C'est là qu'il est né. Il y gagne sa vie comme guide. À son avis, le temps va bientôt se couvrir. Il n'y a pourtant pas un seul petit nuage dans le ciel… La mère du bébé arrive tout à coup. Elle n'a pas l'air contente qu'on ne l'ait pas attendue.

Deux filles de Nouvelle-Zélande viennent nous demander de les photographier devant le South Crater couvert de cendres noires. Du Red Crater aux éclats rouges, plein d'oxyde de fer, nous apercevons ensuite deux lacs couleur d'émeraude et, un peu en retrait, l'étincelant Blue Lake. Fin de la randonnée. Nous avons parcouru la moitié du trajet suggéré aux marcheurs du Tongariro Crossing. Nous avions décidé d'avance de revenir sur nos pas plutôt que de faire la grande boucle. Nous redescendons. Le ciel se couvre. Le Français disait donc vrai ! Au loin, nous le voyons, en train de se chicaner avec sa douce.

Isabelle en profite pour me raconter quelques anecdotes à propos de sa vie d'étudiante, à Wairoa comme au Québec. Voici le moment que j'espérais. Plus que de volcans, plus que de champ de pierres noires, plus que de ciel immaculé, c'est de parlures avec ma fille que je rêvais. Elle et moi, nous marchons, nous jasons de tout et de rien, toujours conscients de la présence des volcans. Aborder ces géants, ce n'est pas toucher aux portes de l'enfer. L'enfer n'est qu'humain.

L'enfer n'est surtout pas un gouffre de lave bouillonnante. L'enfer n'est qu'une idée humaine. Et entre un « beau » nuage blanc et un « infernal » trou de magma, il n'y a selon moi aucune différence essentielle.

En pleine discussion avec Isabelle, je me sens aux antipodes de l'enfer. Le poète Rimbaud, l'auteur d'*Une saison en enfer*, aurait probablement aimé la Nouvelle-Zélande, lui qui a voulu plonger dans toutes les sensations puisque sa vocation était celle de « voyant ». J'apprécie Rimbaud parce que, entre les lignes, il me rappelle que l'art pour l'art n'est que vaine illusion. J'ose enquiquiner Isabelle avec mes réflexions sur la poésie. Polie, elle écoute. Sur les flancs du Ngauruhoe, nous enjambons des pierres crachées des entrailles de la Terre il y a quelques années à peine. Ce contact avec la substance première de la planète me rend euphorique.

Il existe des lieux où les vents aiment parler. Il existe des régions volcaniques où flotte l'esprit du globe. Certains mystiques, des gens âgés permettent aux passants d'apprécier ce que la Terre possède d'essentiel. Il faut quelquefois bien des efforts pour entrer en relation avec ces êtres. Aurons-nous le temps ou le talent de reconnaître l'un de ces sages à Wairoa ?

6

À la clinique médicale, un matin, on m'amène une petite fille aux yeux très noirs et à la peau foncée. Elle souffre d'une appendicite aiguë. Il faut l'envoyer à l'hôpital de Hastings, cent cinquante kilomètres plus au sud, en avion. La route est trop sinueuse et le trajet trop long pour qu'on la transporte en ambulance. Son père, un ouvrier agricole maori d'une quarantaine d'années, au sourire édenté, m'aide beaucoup. Il laisse paraître bien peu d'anxiété. Cette apparente résignation, et je dis bien « apparente », car cet homme est de toute évidence préoccupé par le sort de sa fille qui, il y a trois ans, a été traitée pour une maladie de Hodgkin, me fait penser à celle de la majorité des Inuits dont j'ai eu à m'occuper dans le Grand Nord. Pas d'inquiétude exagérée chez ces gens ; une agréable confiance en ceux et celles qui ont pour tâche de les soigner.

Un homme aux cheveux longs, tout gris, me consulte un peu plus tard. Il a le visage et les membres couverts de tatouages, ce qui m'impressionne fort. Il se plaint d'un mal de dos : vieux problème de hernie discale récidivant. Il ne souhaite pas que je lui prescrive de médicaments. Il veut tout simplement savoir si les massages de sa femme peuvent lui convenir. Les Maoris, plus réticents que les autres à prendre des pilules, abandonnent rapidement leurs traitements. En cela, ils me font penser aux Cris de la baie James.

Les habitudes médicales tant diagnostiques que thérapeutiques en Nouvelle-Zélande ressemblent beaucoup à celles qui prévalent en Amérique. Les patients de la région de Hawkes Bay sont simples, des cultivateurs pour la plupart. Les Maoris ont un taux de fertilité bien supérieur à celui des Pakehas, les descendants d'Européens. Une centaine de femmes accouchent chaque année à la maternité de Wairoa. Les Maories, encore récemment, transportaient leur bébé sur leur dos, tenu là par un linge ou une longue écharpe, tout à fait à la mode inuite. Mais de plus en plus de parents utilisent des poussettes tout ce qu'il y a de plus moderne.

Il ne restait que quarante mille Maoris sur les deux îles de la Nouvelle-Zélande au début du XXe siècle. Les guerres et les épidémies ont décimé une population arrivée huit cents ans plus tôt sur des bateaux dont on se souvient encore des noms : *Horo-Uta* et *Takitumu.* Leurs guerriers étaient de féroces combattants, mangeurs de chair humaine à l'occasion des grandes fêtes. Les chefs portaient dans leur chevelure des plumes de *huia*, un peu à la manière des Amérindiens. Puis les choses ont changé ; les Maoris ont cessé de lutter pour conserver leurs terres ; ils se sont pliés à l'occidentalisation. Ils forment maintenant presque vingt pour cent de la population d'un pays qui vit toutefois une espèce de « renouveau » maori. *Marae*, langue, culture et traditions maories redeviennent à la mode. Le *marae* représente une parcelle de terre sacrée, entourée d'une clôture en bois souvent ornée de sculptures, dont le bâtiment principal sert à l'enseignement, aux mariages, aux enterrements et autres cérémonies importantes. Quand on compare la réalité maorie avec celle des Autochtones en Amérique, on se dit que bien des gens ont usé d'imagination créatrice en pays kiwi.

Le médecin qui m'a engagé croit que c'est peut-être à cause des missionnaires que la situation des Autochtones en Nouvelle-Zélande diffère aujourd'hui de celle qui prévaut en Australie. Au XIXe siècle, les gens d'Église, toujours selon lui, auraient considéré les Polynésiens comme à demi humains. On pouvait donc les convertir au christianisme. En Australie, on aurait plutôt jugé les Aborigènes comme n'ayant pas d'âme, donc impossibles à évangéliser. Jusque vers les années 1950, on les a donc pourchassés en les abattant à coups de fusil, un peu comme on le fait encore pour les kangourous. Pareilles histoires d'horreur sont difficiles à admettre. Je sais qu'elles font partie de l'Histoire du monde. Mais quelque chose en moi se dresse et se rebiffe quand je les entends.

Les habitants de la Nouvelle-Zélande me semblent étonnamment ouverts et rieurs. La mixité des cultures qui prévaut ici, particulièrement sur la côte est de l'île du nord, me paraît contribuer à la qualité du pays. Il existe une profonde différence de vision du monde entre les Autochtones et les Occidentaux, mais il faut croire en une possible cohésion, en l'amalgame des diversités. Ce qui se passe en Nouvelle-Zélande surviendra peut-être un jour au Nunavik et au Nunavut, entre « sudistes » et « nordistes », entre « sédentaires » et « nomades », entre « citadins » et « coureurs de froid ».

7

Dans le parc Urewera, en traversant un pont, nous croisons une bande d'enfants qui viennent de se baigner dans une petite rivière aux eaux verdâtres. Isabelle bâille. Elle est loin d'être dans le coup. Nous voulions profiter de notre fin de semaine de congé pour reprendre contact avec le lac Waikaremoana. J'aime canoter ; Isabelle aussi, je le sais. Souvent, elle m'a accompagné, en excursion au lac Montauban, dans la région de Portneuf, au nord de Québec, et sur plusieurs des lacs environnants. Mais, cette fois, elle parle peu. De toute évidence, elle est fatiguée. Il est vrai que notre entrée en matière à Wairoa n'a pas été de tout repos. Isabelle a découvert une nouvelle école, de nouveaux élèves en majorité maoris, ce qui a été facile, très agréable même, à son dire. Mais elle a dû travailler fort pour simplement s'adapter, tout comme j'ai dû le faire à la clinique, me colletaillant avec une nomenclature pharmaceutique toute différente, des habitudes à ne pas déranger, l'accent kiwi qui comporte bien des subtilités. Toute forme d'adaptation demande de l'énergie, beaucoup d'énergie. Nous aurions peut-être dû nous relaxer à l'appartement plutôt que de reprendre la route, en état de sempiternelle mouvance. Je demande à Isabelle si elle a mal quelque part. Devant cette fatigue que je juge anormale, je repense à ma propre fatigue quand j'avais attrapé la mononucléose infectieuse, à vingt ans.

Je m'arrête pour photographier une chèvre en train de brouter de l'herbe sous un orme. À demi endormie, calée dans son siège, Isabelle s'y intéresse peu. Le long de la route, nous ne cessons de croiser moutons, cochons, chèvres et dindons en liberté. Soudain, une espèce de perdrix sauvage traverse le chemin à toute allure. À la blague, je dis regretter de ne pas avoir apporté mon fusil. Isabelle s'exclame : « Pourquoi pas une mitraillette ? » Elle sourit, ce qui me rassure un peu sur son état.

Une fois rendus au lac Waikaremoana, devant un petit magasin de fortune, une dame nous apprend que l'homme qui devait nous louer des kayaks n'est pas là. Il est reparti chez lui, à Tuai, vingt kilomètres plus à l'est. Nous avions pourtant bel et bien rendez-vous avec lui. Comme il est le seul à pouvoir nous accommoder, nous devrons patienter. Isabelle bâille à s'en décrocher la mâchoire. Assis près de l'eau, nous avalons quelques sandwiches, entourés de canards malards. Le plus courageux s'approche tout à coup pour voler du pain dans la main d'Isabelle. Il lui pince un doigt.

Elle sursaute. Le canard affolé repart à la course en cancanant à tue-tête. Ma fille cancane à sa façon. Je la taquine. Elle me lance un petit regard oblique qui m'incite à me taire. « Étouffe-toi avec tes cancans ! » dit-elle sans le dire.

Je décide alors d'aller pêcher au fond d'une petite baie, pas très loin, encouragé par les histoires de gros poissons qu'on m'a racontées à Wairoa. Certaines truites brunes pèseraient jusqu'à six kilos dans le lac Waikaremoana. J'ai hâte d'essayer mes nouveaux leurres. Pendant plus d'une heure, je lance, je ramène, je lance, je ramène, sans succès. Pas un poisson ne veut mordre. Y a-t-il d'ailleurs des poissons dans ce lac ? Il est peut-être trop beau, trop parfait pour qu'y survivent les poissons, trop clair, trop aménagé, trop édulcoré. Les truites ont besoin de fardoches et de vieilles branches limoneuses au fond de l'eau pour se cacher des prédateurs ; elles ont autant besoin d'obscurité que de lumière. L'idée de la grande perfection n'est peut-être qu'humaine, essentiellement humaine.

Un peu avant midi, le Maori loueur de kayacs revient au lac, visiblement de mauvaise humeur. Nous ne saurons jamais pourquoi. Je choisis de ne louer qu'un seul canot plutôt que les deux kayacs prévus. Le Maori fait la gueule, veut être payé tout de suite. On le dérange ? Il est revenu de son chez-lui tranquille pour les deux seuls clients de la journée, et pour la location d'une seule embarcation ! Il enrage. Nous ne sommes pas nécessairement la cause de sa mauvaise humeur. Isabelle garde le silence, consciente qu'il vaut mieux ne pas importuner le bonhomme. Lorsque nous poussons le canot à l'eau, il nous envoie la main en souriant. Nous n'avions donc rien à voir avec son bougonnage. Problème familial ?

Il vente fort, certaines bourrasques dépassant les quarante kilomètres à l'heure. Dans les vagues, je laisse traîner mon leurre, au cas où… Trois cygnes australiens nous dépassent. Un couple de *putangitangi* nous survole en sens inverse, à toute vitesse. Le vent forcit. Je propose à Isabelle que nous nous fixions comme objectif la crique où se jette la rivière Makau, là où nous avons campé la semaine précédente. Elle hoche la tête en signe d'affirmation. Mais elle manœuvre mollement. Se serait-elle aventurée sur ce lac si elle avait été seule à décider ?

À la pointe Maraateatua, il nous faut avironner de toutes nos forces pour ne pas être repoussés par le vent. « Pourquoi continuer ? » Isabelle se pose sérieusement la question. Moi, j'aimerais continuer à sentir le lac et ses dynamismes. J'ai grand besoin de courir le pays afin de refaire le plein en énergie psychique. Je sais que j'en aurai besoin pour affronter les prochains jours de travail à la clinique. Ma semaine de travail n'a pas été si rude physiquement ; je n'ai pas encore commencé la séquence des gardes de nuit. Mais les nouvelles données de médecine, tout comme les affections d'autrui sur un continent aux coutumes relativement différentes des miennes, ont mis à contribution ma jugeote. Isabelle était d'accord pour courir le pays pendant la fin de semaine. Savait-elle cependant ce qu'exigerait pareil canotage ? Elle m'a suivi, bien que nous n'ayons pas vraiment pris une décision concertée. Moi, par nature, même très fatigué, je fonce, mais avec des résultats souvent très variables, j'avoue.

Quelques bateaux à moteur nous dépassent sans s'arrêter. À l'avant, Isabelle roule et monte sur la houle, éclaboussée par les embruns. Ce gros canot à trois quilles avance de peine et de misère, insubmersible. Mais quel lourdaud ! De plus, on nous a équipés de pagaies artisanales fabriquées avec un simple manche à balai au bout duquel on a vissé une grosse planche. Passé le cap Maraateatua, nous faisons halte sur une petite plage. Isabelle va immédiatement se coucher sur le sable pour faire une sieste. Je grimpe sur des rochers, toujours attiré par la pêche. Trois quarts d'heure plus tard, à mon retour, ma fille dort profondément. Encore une fois, je n'ai rien attrapé. Je tire Isabelle de son sommeil en blaguant à propos de la tonne de poissons que j'ai pêchée. Elle ne me croit pas, voit bien que j'ai les mains vides. Ragaillardie par sa sieste, elle prétend que le problème de notre approvisionnement se trouve du côté du pêcheur.

Nous décollons dans le but de parvenir à la rivière Makau. Isabelle ne maugrée pas, mais avironne d'une manière qui montre qu'elle n'est surtout pas convaincue de la pertinence de notre entreprise. J'aime beaucoup canoter. Chaque fois, mon esprit se libère de plusieurs pensées qui, autrement, l'englueraient. J'arrive ainsi à ne plus penser qu'à l'eau, au ciel et aux coups de pagaie à donner. Les nuages font partie de mes fantasmagories les plus heureuses. Ma vie durant, c'est en canot que j'ai rêvé avec délices.

Isabelle soupire. Je lui demande si elle veut virer de bord. Elle ne dit pas oui, mais... Nous reprenons des forces dans une crique abritée du vent où la clarté de l'eau est extraordinaire. À dix mètres, on distingue parfaitement le fond calcaire. Je me dis que la Nature finira bien par se fatiguer de venter. Je dis à Isabelle qu'après cette pointe... Elle en a plein son casque ! Un vent tournant, près du rivage, nous propulse dans le sens du retour, ce qu'elle souhaitait de tout son cœur. Aussitôt, elle se met à chanter. Je l'accompagne. Elle me parle ensuite de ses amitiés, de ses voyages, de quelques-unes de ses propres expéditions en canot. Jamais elle ne s'était battue contre un vent pareil et sur un lac aussi vaste.

Au soleil couchant, de retour à notre point de départ, nous tirons l'embarcation sur le rivage. Les malards sont encore là, sûrs que nous allons les gaver de pain. Sur la route de Wairoa, je ressens mon premier vrai coup de fatigue de la journée. Isabelle me taquine au sujet de ces personnes qui ne peuvent se payer une simple journée de canot sans être un peu vannés !

8

Nous faisons notre premier plongeon dans le Pacifique à la plage Mahia, en fin d'après-midi. Première véritable incursion dans la mer des antipodes. Symbolique baignade dans l'océan du bout du monde. Hors de l'eau, toutefois, il fait frisquet. Vite rhabillés, assis côte à côte sur le sable, nous contemplons la descente du soleil.

Dans l'espoir d'attraper nous-mêmes notre souper, nous quittons la plage pour nous rendre du côté nord de la péninsule. Après un petit pont de bois, sur un débarcadère où j'ai vu des gens pêcher, nous tentons notre chance. Les poissons acceptent de mordre, mais aucun ne reste accroché à nos ardillons. Les hameçons sont trop gros ! Je suis déçu. Je sens que la Nouvelle-Zélande ne sera pas le lieu où je ferai la pêche du siècle. Isabelle se bidonne.

Sur le chemin du retour, nous prenons la peine de nous arrêter pour faire l'identification d'un pin énorme, aux aiguilles fort semblables à celles du sapin : un *totara.* Un peu plus loin, nous croisons un *kahu*, gros épervier en train de bouffer les restes d'un opossum au milieu de la route. Il y aurait soixante-dix millions d'opossums dans ce pays ! Isabelle s'exclame tout à coup : « L'arbre, là, on dirait un eucalyptus ! » En entendant ce nom, je pense immédiatement « koala ». Mais il n'y a pas de koalas en pays kiwi. Par contre, les opossums sont si nombreux qu'ils mettent en danger plusieurs espèces de plantes. Introduits d'Australie, ils ont essaimé. On ne cesse d'en voir des cadavres et des plaques de poils et des bouts de membres le long des routes qu'ils traversent la nuit. Les éperviers australasiens s'en délectent. Dans les boutiques pour touristes, on vend même des opossums écrasés, artificiels mais écrasés ! En Nouvelle-Zélande, si on s'en fait beaucoup pour les bébés kiwis, on se soucie peu du sort des opossums. Isabelle n'aime pas cela. Elle considère que les opossums ne sont pas moins importants que les baleines. Moi, je me demande si les opossums pensent à quelque chose lorsqu'ils risquent leur vie sur les routes. Qu'est-ce que la pensée chez un animal, opossum, dauphin ou baleine à bosse ? Qu'est-ce que l'art de sauver sa peau quand on pressent que le bateau qui fonce droit sur soi n'est pas un simple voilier de plaisance, mais plutôt un chalutier norvégien qui cherche à refaire le plein d'huile animale ?

Le lendemain, à l'hôpital de Wairoa, les patients me demandent si je suis là pour rester. Comme dans bien d'autres régions rurales du monde, il y a ici une pénurie chronique de médecins. Je ne sais trop quoi répondre. En ce moment, je me sens de passage, voyageur sur une planète qui tourne peut-être différemment pour moi. Les sédentaires aiment qu'on s'établisse avec eux. Ils se méfient des migrants. Chez les Maoris d'avant les Anglais (Abel Tasman est bien passé au XVIIe siècle, pour le compte des Hollandais, mais quatre marins tués par des guerriers indigènes l'ont, semble-t-il, découragé de revenir), la notion de propriété privée n'existait pas, hormis pour les vêtements, les armes et les ornements individuels. Pas de terre privée chez les anciens Maoris. Pas de maison personnelle non plus. Tout est à tous au sein des familles élargies, les *whanau*. Les biens matériels appartiennent d'abord à des sous-tribus, les *hapu* ; elles-mêmes forment des tribus nommées *iwi*. Les premiers colons blancs, après la prise de possession de la Nouvelle-Zélande par le capitaine Cook, en 1769, ont-ils pu s'y établir parce que les gens qui y vivaient déjà, les Polynésiens, étaient essentiellement nomades ? La terre revient librement à tout un chacun chez les nomades. Les agriculteurs d'origine européenne sont peut-être parvenus à se tailler une place en ne révélant surtout pas qu'ils allaient occuper de plus en plus d'espace. Imaginons les Écossais du XIXe siècle débarquant sur Aotearoa alors que les terres auraient toutes été défrichées. Que se serait-il passé ?

Qu'aurait fait Jacques Cartier en abordant les rives d'un fleuve occupées en entier par tout un peuple d'agriculteurs ? Les Mohawks démontraient bien certaines qualités « sédentaristes », mais la plupart des autres tribus vivaient en nomades. Les Montagnais, Cris, Attikameks, Inuits et Maoris revendiquent aujourd'hui un espace géographique qui leur soit propre, dans les faits et sur papier. Les descendants d'Européens ne les ayant pas totalement éradiqués, et parce que c'est dans l'air du temps de laisser les Autochtones donner leur point de vue, les nomades demandent justice. Mais pourquoi les gens qui ont du pouvoir laissent-ils fleurir pareilles revendications ? Les sédentaires, inconsciemment, sentent-ils que s'ils ne commencent pas à voir le monde d'une autre façon, autrement qu'avec une idée bien arrêtée du développement ou du soi-disant progrès, le monde naturel, la Nature dans laquelle ils s'insèrent, court à sa perte ?

9

Dans le cimetière de Wairoa, sur une colline située juste à côté de celle où nous logeons, je me promène sans autre but que de rêvasser. Ce cimetière me fait penser à celui de Waswanipi, en pays cri, aménagé lui aussi sur un vaste surplomb. Le cimetière de Wairoa, bien que fort joliment décoré, se trouve à un jet de pierre de la décharge publique. Les Cris de Waswanipi, par contre, ont choisi l'endroit le plus paisible de la région, le plus splendide aussi, au confluent de deux larges rivières. À Wairoa, il n'était probablement pas question d'augmenter le coût des services publics en obligeant les camions à ordures à se vider trop loin. Une idée occidentale et pakeha ? Je marche dans une forêt de *white maire* dont les troncs minces et lisses ont pour la plupart été envahis par des plantes ressemblant à des lierres géants, puis je m'assois pour terminer ma lecture du *Second Faust*, de Goethe. Héléna et Faust se donnent la réplique :

Pour la seule joie humaine
L'amour a de nous fait Deux
Mais pour la divine joie
Il doit de nous faire Trois

Tout est donc parachevé
Tu es mienne et je suis tien
Ainsi soudés l'un dans l'autre
Rien ne pouvait être d'autre !

Une chouette kiwie se lance soudain dans un répétitif « morepork, morepork, morepork ». En maori, on appelle *ruru* ce petit oiseau de proie de la famille des *strigidae.* Que fait-il là en plein matin, perché sur une branche de *toii* ? Ne devrait-il pas être en train de faire un somme ? Le *ruru* se tait. Tout à coup, je me sens bien seul, dans un pays situé aussi loin que possible du mien. Le sentiment de solitude devant l'infini du monde n'est pas facile à vivre parfois. J'ai beau savoir qu'Isabelle dort, à l'appartement, je me sens seul. Mon amoureuse viendra-t-elle me rejoindre sur Aotearoa ? Cela fait partie des plans. Il en a été question avant mon départ. Mais une difficulté avec la garde de ses propres enfants, un problème technique avec son travail, je ne sais pas, n'importe quoi, une maladie soudaine pourrait venir tout chambouler.

Je me remets en marche. Sous les branches d'un arbre fruitier chargées de fleurs en forme de boule de neige, entre les pierres tombales, je me sens à l'envers de moi-même. Ma boussole intérieure se détraque. Les points cardinaux ne me paraissent plus les mêmes. Dans la toundra, je sais toujours où se trouve le Nord. Ici, je le cherche. Moi qui sais m'orienter si facilement en forêt ou dans la taïga... Quelque chose s'est déglingué dans ma cervelle, au creux de l'hypothalamus, d'une différente structure, diencéphalique ou limbique, quelque chose comme un cristal influencé par les champs magnétiques terrestres. Dans l'hémisphère Sud, ce cristal a-t-il besoin d'être ajusté ? Même si j'utilise une boussole, l'aiguille aimantée me joue des tours. Elle devient un peu folle, pointe vers quelque part qui n'est pas le Nord.

Au loin, j'aperçois le *ruru* qui volette entre deux bosquets en fleurs. Je commence à lire *Hummocks*, de Jean Malaurie, et, par hasard, je tombe sur un passage où il cite un chaman racontant ainsi sa propre initiation : «J'étais seul, au sommet de la colline. J'étais assis dans la fosse de voyance, un trou creusé dans le sol, les genoux entre les mains, à regarder le voyant guérisseur... La nuit venait... Je percevais une voix qui voulait entrer en communication avec moi. C'était le cri d'un oiseau... J'entendis aussi une voix humaine, bizarre et haut perchée, une voix qui ne pouvait pas émaner d'un être ordinaire... Je fus, d'un coup, transporté dans les airs parmi les oiseaux. La colline et sa fosse de voyance se tenaient incroyablement au-dessus de tout. Je pouvais même baisser les yeux vers les étoiles et voir la Lune proche, à ma gauche. C'était à croire que la Terre et les étoiles se mouvaient au-dessous de moi. Une voix me disait : "Tu te sacrifies afin de devenir un voyant guérisseur. Tu en seras un, le moment venu. Tu enseigneras à ceux qui à leur tour le deviendront. Nous sommes le peuple des oiseaux, le peuple des ailés, les chouettes et les aigles. Nous sommes une nation et tu seras notre frère. Tu ne tueras jamais ni ne blesseras aucun des nôtres. [...] Tu apprendras les herbes et les racines. Tu guériras tes semblables. En retour, tu ne leur demanderas rien. La vie d'un homme est brève. Que la tienne soit noble et féconde" [1]. »

La vie d'un homme est brève, en effet. J'en ai toujours eu conscience. Mais cette conscience a probablement été exacerbée par mon métier, par ma rencontre avec des milliers de grands malades. La vie d'un homme est brève. Voilà l'une des raisons de mes déplacements, de mes voyages, de mes aventures. J'ai senti il y a longtemps qu'il fallait enrichir le mieux possible la brièveté de cette vie. J'ai voulu m'offrir un moment de grande harmonie avec ma fille. Pour les personnalités comme la mienne, le quotidien, la vie quotidienne n'ouvre habituellement pas assez d'espace. Les nomades ont besoin d'air et de grand air, de mouvances et de déplacements,

1. Tahca Ushte et Richard Erdoes, *De mémoire indienne*, Paris, Plon, coll. « Terre humaine », 1977.

tant intérieurs qu'extérieurs, dans la mesure où leur destin le permet ou le veut bien. Mon existence, à la fin du XXe siècle, m'a permis d'atteindre assez facilement, somme toute, les rives d'Aotearoa. Mais la vie d'un homme est si brève. Je pourrais m'affaisser ici même, sur une pierre tombale, victime d'un accident cardiaque. J'en ai l'âge, même si je me crois en excellente santé. La vie est d'une si totale fragilité : cliché mille fois répété. Mais je ne l'oublie pas. C'est pourquoi je me gave de vie. La présence d'Isabelle, fille voyageuse, prend du même coup un sens décuplé.

Je vais la rejoindre. Nous allons manger ensemble. Je ferai la vaisselle. Isabelle n'aime pas faire la vaisselle. Demain, je lui demanderai de m'aider, de contribuer aux tâches de la vie quotidienne. Mais elle m'aura préparé un petit repas parce qu'elle voulait me faire plaisir. Elle est comme ça ; elle aime cuisiner. Elle est capable de nous concocter des salades délicieuses. Et les salades ne font pas engraisser. Elle dit que c'est même excellent pour mon *whippet*. Je me demande bien de quel *whippet* elle parle. Elle dit que j'ai une bedaine en forme de *whippet*. Je lui dis qu'il n'y a aucun *whippet* en Nouvelle-Zélande. Nous écouterons ensuite la télésérie américaine *Friends*. Cette émission pleine d'humour tendre nous plaît beaucoup. La télévision ne fait pas que transformer le téléspectateur en robot ou en larve ; parfois, à petite dose, après une longue journée de travail, à l'école ou à l'hôpital, elle permet à l'esprit de s'amuser tout en se reposant. Écrasés chacun dans notre fauteuil, le soir, nous nous convainquons de la chose.

10

Chaque matin, au lever, je sors prendre l'air et je respire à fond. Le seul fait d'avoir conscience de ma respiration me procure du bonheur. Entendre ma fille jouer de la clarinette ajoute à ma joie. Sans le savoir, elle me fait cadeau de sa musique. Les arbres du jardin entourant la maison où nous vivons embaument. Les oiseaux, excités par le printemps, voltigent dans toutes les directions. Tout à l'heure, j'ai vu passer un *myna* commun qui transportait une brindille dans son bec. Pour toutes sortes de raisons, j'ai dû imaginer une extraordinaire contorsion existentielle pour faire en sorte que ma fille accepte de partager ma vie, pour qu'elle désire partir avec moi et soit tout à fait libre, heureuse et enthousiaste de vivre ailleurs, de fréquenter une école différente et d'étudier dans une langue étrangère. Maintenant, je la vois s'épanouir à mes côtés. Depuis quatre ans et plus, c'était elle, entre tous mes enfants, que j'avais le moins côtoyée. À cause de sa personnalité, à cause de nos mille et une occupations, sa vie n'avait fait que croiser la mienne. Je me suis dit qu'il me fallait inventer une raison d'exister auprès d'elle. Comme d'habitude, mon métier a servi mes projets. Depuis longtemps, j'avais la Nouvelle-Zélande en tête, depuis mon premier voyage à Puvirnituq, dans le Grand Nord, il y a plus de dix ans. J'y avais connu un médecin qui revenait tout juste d'un long séjour sur Aotearoa. Puis l'aventure m'a saisi. Ou, plutôt, je suis resté disponible à l'Aventure. Puis je suis parti avec ma fille.

Il me semble que je réalise l'un des voyages les plus réussis de ma vie, peut-être parce que l'enjeu était grand, et le demeure, peut-être parce que je suis un peu plus lucide que lors de bien d'autres voyages, petits ou grands.

Nous roulons sur une route de campagne en direction du mont Taranaki. Notre projet : escalader le volcan. Au volant de la petite Honda d'occasion, je promets à Isabelle de lui donner bientôt ses premiers cours de conduite. Je pourrais alors roupiller en auto, ou lire, ou tout simplement admirer le paysage. J'y songe... Tout à coup : pouf ! plus rien. Je me range près d'un fossé. La voiture s'immobilise complètement : panne totale, et sans préavis ! Les voitures, nombreuses, passent sans arrêt. Le samedi, ici comme partout ailleurs, les gens vont toujours quelque part. Je regarde sous le capot. Mes talents de mécanicien sont plutôt nuls. J'invoque deux ou trois diablotins pour qu'ils m'aident à faire redémarrer le bazou. Il y a du courant, la batterie semble bourrée d'électricité, mais : rien n'y fait ! Ça ne prend ni des dieux ni le diable pour remettre en état un véhicule conçu par les humains. Il faut un peu d'esprit logique, des connaissances, quelques outils… Teuf-teuf-teuf. Maudite machine ! Isabelle, l'air un peu découragée, reste à l'intérieur. Je tends mon pouce vers la rue. Une dame s'arrête, me demande si j'ai besoin d'aide. Je lui dis que je travaille à Wairoa, que je suis Québécois, Canadien, que je suis en panne. Wairoa, c'est le village où elle est née ! Gentiment, elle me conduit au garage le plus proche où, paraît-il, bosse le meilleur mécanicien de tout le canton.

Là, une jeune fille nous informe que le mécanicien est parti en motocyclette. Elle s'exprime dans un anglais difficile à saisir. Tout à coup, elle téléphone, parle à quelqu'un pendant trente secondes et me dit de retourner à l'auto. Le mécanicien viendra nous dépanner ! Affable, la dame de Wairoa accepte de me ramener. Déjà, à notre arrivée, le mécano se trouve tout près de l'auto. Il a rangé une grosse moto sur l'accotement. Isabelle, des écouteurs de walkman sur les oreilles, semble endormie sur son siège. La dame me laisse en m'envoyant la main. Le mécanicien, la tête sous le capot, inspecte le véhicule. Je pense qu'il aurait préféré une promenade en moto. Il fait très beau aujourd'hui, vraiment très beau. Le mécanicien juge que c'est peut-être le carburateur qui est en cause. Ça augure mal ! Je tente d'être philosophe. Notre véhicule devra être remorqué jusqu'au garage. Le mécanicien repart. Nous patientons une vingtaine de minutes, puis il revient, cette fois au volant d'une dépanneuse. Il tire notre auto jusqu'à Midhurst, entre New Plymouth et Hawera, puis poursuit son inspection. Rien qu'à le voir manipuler ses outils, on sait qu'il connaît son affaire. La panne semble provenir de la pompe à essence ou bien des fusibles. J'aimerais être un esprit logique qui apprécie la bataille contre les problèmes logiques. Mais je suis plutôt un esprit illogique. J'aime particulièrement les problèmes d'ordre irrationnel. Le mécano cherche les fusibles, en trouve une rangée sous la boîte à gants, les vérifie. De ce côté-là, tout va bien ! C'est peut-être la pompe à essence... Il soulève l'arrière de l'auto avec un cric. Isabelle, toujours à l'intérieur, paraît résignée. Le mécano retire la pompe, annonce qu'on ne trouvera sûrement aucune pièce neuve en plein samedi. Je me dis que nous serons encore coincés ici dans trois jours. Le mécanicien se dirige alors dans une petite pièce située derrière le garage, puis il fouille dans plusieurs boîtes de carton. Triomphant, il revient avec une pompe usagée. Il l'installe, fait démarrer l'auto... Super ! La pompe est fixée à sa place de façon définitive. Je pourrai toujours en acheter une neuve plus tard. Le mécano boulonne la plaque de métal qui protégeait l'ancienne pompe, et voilà !

Je serre la main de l'homme en lui disant que j'ai un copain, mécanicien tout comme lui, avec qui j'ai fait le tour du Québec en motoneige, il y a quelques années, et que j'estime beaucoup. Le mécanicien kiwi me demande cent dollars pour son travail, la pompe, le remorquage ! J'ajoute vingt dollars pour le remercier, pour faire plus que le payer, parce qu'il a sauvé notre journée, notre expédition au volcan. Je songe à la gentillesse de cet homme. Je songe à la gentillesse de la dame et de bien des gens, à certains moments particuliers de ma vie, quand tout se compliquait. Rester aimable lorsqu'on veut faire une balade en moto ou lorsqu'on s'apprête à partir pour la pêche, qu'on soit mécanicien ou médecin, n'est pas si facile qu'il y paraît.

11

Il y a quelques instants, j'ai rêvé de mon amoureuse. Elle était devant moi, nue. Nous étions prêts à faire l'amour. Tout à coup, j'ai vu qu'elle avait coupé ses cheveux. Sa nuque était dégarnie, toute blanche. J'ai demandé : « Pourquoi ? » Elle a dit : « Ils sont encore longs devant, regarde ! » Ils étaient en effet très longs, descendaient sur sa poitrine et cachaient ses seins, tandis que derrière, il n'y avait que la peau, lustrée. Le cœur battant, je me suis réveillé en me demandant : « Qu'est-ce que je fais là, dans une chambre de motel, par cette nuit de novembre ? » Il n'y a pas de chauffage central dans ce pays, ni dans les maisons ni dans les chambres de motel, rien que des chaufferettes mobiles qui émettent plus de bruit que de chaleur. Le printemps a été plutôt froid depuis un mois, assez pour imaginer ce que ce serait d'habiter ici en hiver, dans un appartement sans chauffage central. Geler semble une habitude en Nouvelle-Zélande, tout comme dans bien des pays d'Europe et d'Asie. Le Québec

« intérieur », entre les quatre murs des maisons, même en janvier ou en février, demeure un pays chaud.

« Qu'est-ce que je fais ici, à Normanby ? » Je suis heureux. Ma fille dort dans la pièce d'à côté. Nous devions camper plutôt que de dormir dans un motel, peut-être à Stratford. Mais j'étais si fatigué à notre retour dans la plaine, après l'ascension du mont Taranaki. J'avais le corps en compote. J'étais totalement vanné, vanné comme je pouvais l'être quand je marchais autour du massif du mont Blanc, l'an dernier, avec mon fils cadet, alors que nous avancions dix ou douze heures par jour et que mon corps, en fin de journée, grinçait, craquait, claquait. Pendant la montée du Taranaki, je ne l'étais pas, fatigué, j'étais de soufre et d'acier, ou tout comme, je voulais admirer le cratère, le centre de cette montagne aux allures sacrées qui occupe tout le paysage de la péninsule. Lorsque nous l'avons aperçue, hier, à cinquante kilomètres de ses pentes, ç'a été le coup de foudre. Quelle beauté ! Un cône parfait, un sommet enneigé, des coulées couleur crème, des airs de mont Fuji. *Fuji san*, dit-on au Japon. Mais nous n'étions pas au pays du soleil levant, plutôt sur Aoteaora, qui signifie, en maori, *l'île au long nuage blanc.*

En direction de Wanganui, nous avons bien bavardé, Isabelle et moi, tout en écoutant de la musique québécoise : Paul Piché, Harmonium, Richard Desjardins. Je me suis dit que c'est d'abord la culture qui nous lie aux nôtres, où qu'ils soient, éparpillés dans le monde. Sans nos chansons, sans notre art bien à nous, sans notre langue de mitaines et d'istorlets, qu'aurions-nous de québécois dans nos poches quand nous voyageons ?

Je me sens parfaitement heureux dans cette chambre de motel, à quelques lieues de la mer de Tasmanie, cinq cents kilomètres à l'est de mon village d'adoption. Hier, nous avons fait l'ascension des trois quarts du flanc nord du Taranaki, à partir de North Egmont, après avoir zigzagué pendant au moins deux heures dans une forêt indigène. Le chemin, bordé de fougères géantes, formait comme une arche : porte d'entrée dans la préhistoire. Au centre d'information du parc national, une jeune femme nous a fait comprendre qu'il était trop tard pour que nous puissions atteindre le sommet. Sans crampons pour nos bottes, à deux mille cinq cents mètres au-dessus du niveau de la mer, il y avait grand danger de glisser sur les flancs. Même par temps calme dans la plaine, les vents peuvent être violents au sommet.

En montant, nous avons croisé trois randonneurs qui, eux, avaient touché au but. Ils avaient du bleu intense dans les yeux. Ils nous ont même dit avoir vu un skieur qui dévalait la pente sud ! Le plus jeune d'entre eux en était à sa septième ascension. Autour de deux mille mètres, Isabelle m'a laissé continuer seul. Mal équipée, sans tuque ni gants de laine, elle gelait. Elle est repartie pour m'attendre au refuge, mille mètres plus bas. Moi, je voulais grimper encore, tâter au moins des premières crêtes enneigées. Il ventait, faisait froid comme dans la toundra en mars. Je me trouvais en pleine toundra. Haute montagne ou Grand Nord, c'est le mêmc air, la même pureté, le même sentiment d'éternité, le même contact avec le *pneuma* du monde, l'Esprit qui souffle, l'Esprit de cette terre qui jaillit, tel un magma, pour ensemencer le sol. En plein Sud, j'ai retrouvé l'esprit du Grand Nord. Les nuages à mes pieds, j'ai apprécié le silence. Au loin, vers l'ouest, j'ai contemplé l'océan. Autour du volcan, des côtés nord et est, j'ai vu les champs, les routes, le parc national et ses forêts protégées. J'ai imaginé des hordes de petits kiwis en train de fouiller le sol.

Dans les nuages, j'étais aux oiseaux ! Je me suis dit : je suis un nuage. Les nuages sont en moi. Je ne suis pas un ange, mais je flotte, et librement. Je fais le tour du volcan. La Terre est à mes pieds, et ces pieds sont à moi. Pour moi, cette montagne ! Pour moi, ce cratère ! Pour moi, ces fumerolles ! Pour moi, ce volcan blanc ! Je tends les bras et je me jette, la tête la première, dans un nuage. Je l'avale. Les souffles de la montagne sont en moi. Je suis l'air, la légèreté, le soufre et les cris, la bourrasque qui fait peur. Je n'ai plus de tête. Je suis le centre du cratère. Je tombe dans le volcan. Ce n'est pas l'enfer. Ce n'est pas la fin du monde. Ce n'est pas le néant. C'est mon souffle, ma joie, mon inspiration, ma vie.

Lorsque le chtonien rejoint le galactique, lorsque la Terre, si minuscule, s'unit à nous dans l'espace, le sentiment qui nous habite, c'est d'être aspiré vers le ciel. Sur les flancs du Taranaki, je me sentais comme lorsque je cours la toundra, alimenté par les mêmes forces, à la fois telluriques et cosmiques. Ces forces, elles me dépassent comme elles sont en moi, elles font partie de moi comme elles sont extérieures à moi. La vie n'est faite que d'éternels mouvements paradoxaux. Tout doit rester en mouvement pour que la vie s'épanouisse et demeure. Tout ce qui ne bouge plus tend vers sa propre mort. Les atomes des êtres vivants roulent à toute vitesse, ils chantent, ils se préparent au prochain départ, à la prochaine ascension, au prochain poème.

J'ai défait mon chemin en marchant sur des cailloux noirs qui roulaient sous mes pas, puis j'ai descendu huit cents marches de bois jusqu'au refuge alpin, sur une pente inclinée à cinquante degrés. La randonnée s'est terminée avec Isabelle. C'est à ce moment que la fatigue est apparue. Mes articulations ont commencé à crier alors que, pour ma fille, tout devenait facile. Elle qui soufflait et suait pour monter, elle fredonnait pour redescendre, tout comme le faisait mon fils dans les Alpes françaises. C'est grâce à leurs articulations nouvelles. Les miennes, elles raidissent. Mais pas mon cœur ! Il est encore tout tendre, il vole, mon cœur !

12

Pour la première fois du voyage, alors que nous revenions du mont Taranaki, j'ai eu une prise de bec avec Isabelle. Nous étions égarés dans Palmerston North. Elle ne m'aidait pas beaucoup avec les cartes. J'aurais dû être plus patient, c'est sûr ! Isabelle n'aime pas du tout, mais pas du tout « se faire engueuler », comme elle dit. Pourtant, je n'avais fait que lui demander, bien qu'un peu brutalement, de me donner un coup de main. Elle a par la suite gardé un silence pesant. Premier différend du voyage. Tout s'est peu à peu replacé. J'ai eu l'impression qu'elle me pardonnait. Plus de mille kilomètres de déplacement en auto sur des chemins tout en contorsions, plus l'ascension des trois quarts d'un volcan après une panne qui nous avait mis en retard, tout cela en deux jours, avait irrité nos nerfs.

De retour à Wairoa, l'ennui a gagné Isabelle. J'avais reçu plusieurs courriels ; elle, un seul ! Elle avait le cœur gros. Prétextant une histoire de photo de classe, elle a voulu appeler sa mère.

Elle lui a parlé. Elles ont bien ri au téléphone. Ma fille est forte, de mieux en mieux équipée pour affronter la vie. Je n'ai qu'à dire « je l'aime » pour ressentir comme un grand trou dans mon ventre. J'essaie de l'aimer du mieux que je peux. Mais « essayer » n'est jamais suffisant avec les choses de l'amour. Dans l'amour père-fille, il n'y a pas d'« essais » qui comptent. Il n'y a que l'amour inconditionnel qui ait de l'importance, celui auquel on n'a pas besoin de penser.

Mais pourquoi ai-je tant besoin que l'amour, que mon amour « père-fille » soit si parfait ? Ce voyage a trouvé au fond de moi sa justification – rationnellement, c'était une espèce de folie de partir –, justification dans la mesure où le but ultime, c'était de démontrer mon amour à ma fille, mon affection la plus désintéressée. Je sais bien que je voulais aussi en quelque sorte la « voler » à son monde, à sa société, à sa famille, à sa mère, à ses frères et à sa sœur. Moi tout seul, je voulais l'aimer. Je voulais montrer à ma fille, au moins une fois dans sa vie, à quel point j'étais capable de l'aimer bien, alors qu'elle participerait entièrement à l'une de mes aventures, à l'une de mes rêveries, alors qu'elle profiterait du meilleur de moi-même. Je m'essaie à ces quelques explications, même gauches, à cause de mon hypersensibilité à ce qui ne va pas, à ce qui pourrait ne pas aller. Tout ce voyage, la découverte du monde maori comme l'escalade des volcans les plus éblouissants, pourrait n'avoir absolument, et j'insiste, « absolument » aucun sens s'il fallait qu'en ce moment je sois à couteaux tirés avec ma fille. Ce n'est pas le cas, bien au contraire, me semble-t-il. Je vis une situation quasiment idyllique. Il n'est donc pas surprenant que le moindre petit détail dysharmonieux, comme une prise de bec en auto, éveille en moi ce qui m'apparaît le pire. Le pire, c'est-à-dire la possibilité qu'il n'y ait pas vraiment d'amour inconditionnel entre Isabelle et moi. D'où mes efforts. Je sais pourtant que ce n'est pas en fonction des seuls efforts volontaristes que l'amour existe. L'amour demande tout autant la participation du « non-effort ». Ou bien on laisse l'amour s'épanouir par lui-même, ce qui contribue au plus grand sens de la vie des êtres, ou bien il devient une simple création de l'esprit, une invention de la raison pure, et alors, il est tout faux. Avec un frisson, je réalise que derrière toute cette harmonie que je crois bien réelle, entre Isabelle et moi, il règne de façon permanente un certain fond de dysharmonie, en sourdine, prêt à nous submerger si nous n'y prenons garde, prêt à tout bousiller, à nous briser. C'est alors qu'une fille pourrait se mettre à détester son père. Ou que le père rêverait de l'absence de sa fille, de son départ. Ce serait la guerre. La perte de tout sens. Le drame absolu. Cela fait partie de la vie possible. Je vis avec Isabelle pour que cela n'arrive pas. Pour que cela n'arrive jamais.

Je lui propose que nous allions faire une balade jusqu'à la plage de Wairoa. Pour la première fois, elle conduira ! Elle prend le volant tout en se demandant comment elle réagira quand un autre véhicule viendra en sens inverse. Le ciel est plein de nuages ; le cœur de ma fille, si excité. Nous longeons les rives d'une vaste lagune. Deux canards sortent de l'eau en se dandinant, puis cherchent des limaces sur la rive. Le Pacifique nous apparaît, vert kiwi sur fond d'horizon gris-bleu, un peu fâché. La mer lèche la plage avec régularité. L'amplitude de certaines houles mariées dans le grand large forment des vagues plus puissantes que les autres. Des chevaux broutent sur les collines bordant la plage faite de gros sable noir et jonchée de milliers de morceaux de bois polis. Certains troncs d'arbres, charriés là par quelque tempête, lors de grandes marées peut-être, font penser à des dinosaures.

Les arbres-vestiges échoués sur les rivages n'ont rien à voir avec l'humain. De fait, toute cette Nature charmante ou rugissante n'a aucun besoin de l'humanité pour exister. Pourtant, lorsque deux personnes, un soir, marchent sur une plage, le cœur débordant de joie, on se dit que l'océan a lui aussi un cœur qui déborde… Ne sommes-nous pas faits de mer et de lumière, de grains de sable et de gouttes d'eau jetés sur les cailloux avec les épaves ? Ne sommes-nous pas tout cela, mais avec quelque chose en plus ? Ne sommes-nous pas Nature mais aussi plus-que-Nature ? Que fait Glenn Gould lorsqu'il joue une étude de Jean-Sébastien Bach comme aucun pianiste n'est parvenu à le faire ? Ne nous lie-t-il pas à l'harmonie du monde, à l'Âme du monde en harmonie ? L'Inuk rassasié d'omble et de phoque qui se tape sur les jambes en signe de satisfaction révèle toujours qu'il est double, homme et animal. De la conjonction des deux dépend toute sa divinité.

À l'extrémité de la plage, nous croisons deux Maoris en train de pêcher. Le premier tire sur un filin qu'on dirait interminable ; l'autre, derrière, rembobine le cordage autour d'un gros rouleau métallique. Nous nous éloignons un peu pour ne pas les déranger. Sans arrêt, ils ramènent ce qui paraît être allé loin, très loin au large. Comment ? Emporté par la marée ? Jeté d'un bateau ? Quand nous repartons, une demi-heure plus tard, parce qu'il fait froid et qu'Isabelle a hâte de se remettre au volant, les pêcheurs tirent toujours sur le cordage, peut-être rendu en Antarctique, vingt degrés de latitude plus au sud.

On nous apprendra plus tard que les Maoris utilisent parfois la technique du *kontiki* pour attraper du poisson, faisant voguer, à partir de la terre ferme, d'un rivage ou d'un rocher, un petit radeau en forme de baignoire. Chargé d'hameçons fixés sur une très longue ligne, ce radeau est fabriqué de manière à se « débarrasser » par lui-même de sa cargaison une fois qu'il arrive au large, après un long moment de dérive grâce à une voile. C'est ainsi que, chez les Maoris, on parvient à pêcher sans bateau !

13

À Gisborne, ville natale de la chanteuse Kiri te Kanawa, on stationne les autos comme à Chibougamau et dans plusieurs petites villes de l'Abitibi, en diagonale, le long d'une rue principale qui n'en finit pas avec ses motels et ses commerces aux vitrines clinquantes. Tous les édifices du centre-ville ont des toits plats. Une immense tour fait sonner toutes les quinze minutes un tocsin qui reproduit tant bien que mal les quelques notes du Big Ben.

La propriétaire du motel où nous faisons halte, une dame d'un certain âge, nous reçoit avec courtoisie. Elle nous propose de dormir dans ce qui nous apparaît comme un petit logement. Au fond de la première pièce, il y a un grand lit, tandis que dans une salle plus vaste, on a monté deux autres lits. En plus, il y a là tous les accessoires nécessaires pour cuisiner.

Nous passons une nuit paisible. À l'aube, je me lève pour écrire. Comme par magie, les mots forment une danse agréable et sensée. Le Sens :

tout est là ! Je cherche le Sens. Je le trouve parfois avec mes amours, avec mes enfants très souvent, avec quelques rares amis choisis, au cours d'expéditions en particulier, en écrivant, presque toujours dans la Nature. Là, je touche au Sens de façon privilégiée. J'écris pour le dire.

Isabelle s'éveille vers dix heures. Qu'allons-nous faire aujourd'hui ? Irons-nous visiter le musée de Gisborne ? Elle ne sait pas. Il fait un temps maussade. Une heure et demie plus tard, la propriétaire du motel vient cogner à la porte : « Qu'est-ce qui se passe avec le téléphone ? » « Excusez-moi. Je suis branché. Internet, vous savez ? » Non, elle ne sait pas. « C'est à dix heures qu'il faut partir ! » La dame montre le doigt, sévère. Pas de discussion possible. Moi qui croyais que midi était l'heure universelle pour quitter les motels ! Isabelle se douche. Elle n'a pas encore déjeuné. Je continue à écrire. La vieille dame passe et repasse devant la fenêtre de la cuisine, la face tout en grimace, les yeux mitrailleurs. C'est ainsi : les bonnes gens n'aiment pas qu'on occupe leur ligne téléphonique trop longtemps. Ils n'aiment pas la déviance. Chez les normaux, on n'apprécie guère l'« anormal ». Quand vient l'heure de partir, il faut partir ! Tout est parfaitement organisé et contrôlé chez les normaux. Ce qui est bien avec eux, c'est qu'on est certain d'être reçu dans la propreté. J'imagine un motel tenu par un « anormal ». Tout est un peu croche, un peu bancal. Il n'y a personne à la réception. Le gérant prend une bière avec des copains dans une remise derrière le motel. En nous voyant, il nous lance son trousseau de clefs en disant : « Prenez la chambre que vous voulez ! » Là, les draps sont tachés, il n'y a pas de grille-pain, la bouilloire est cabossée. Mais le lendemain, les « scribouillardeurs » peuvent écrire aussi longtemps qu'ils le veulent, et les dormeuses, elles, se prélassent tout l'avant-midi !

Mais qui suis-je ? Qui sommes-nous, Isabelle et moi ? Des normaux ou des anormaux ? Parfois, je me sens tout à fait gentil, parfois, tout à fait déviant. Comme tout le monde, probablement. Avec une logeuse qui aurait été gentille, seulement gentille, je n'aurais été que gentil et normal. Mais en ce moment, la vieille dame m'énerve. Je vais quitter son motel avec un mauvais goût dans la bouche. Quand je repasserai devant chez elle, j'aurai envie de lui faire des grimaces, ce qui n'est pas gentil.

14

Tolaga Bay, c'est quarante maisons, une rue et des dizaines d'enfants rieurs avec des yeux comme des bonbons noirs. On a accroché des ballons à la devanture des magasins.

Nous entrons dans un restaurant. Une Maorie nous sert des *fish and chips* faits de filets de *snapper.* Un peu fatiguée de la nourriture grasse, Isabelle mange du bout des doigts. La serveuse nous apprend que le village attend l'équipe de rugby de la côte est, celle qui a gagné le championnat de la troisième division. Je ne sais trop ce que cette victoire représente, mais dans quelques minutes, nous aurons droit à une grande parade.

Plusieurs gamins vont et viennent en courant. Certains ont le visage maquillé de bleu et de blanc. Des Maoris arrivent à pied, en auto, en camionnette. Mis à part Isabelle et moi, il ne semble y avoir que deux ou trois autres étrangers dans les parages. On se croirait à Kuujjuaq, au sud de la baie d'Ungava, pour la course annuelle de motoneiges du lac Robertson. Les enfants donnent le ton. Un garçonnet pas plus haut qu'un tricycle traverse la rue en agitant un drapeau. Tout à coup, il fait grand soleil. Isabelle aperçoit une friperie. Elle veut y entrer, «juste pour voir». À l'intérieur, deux jeunes filles nous reçoivent, tout sourire, derrière un comptoir vitré où l'on a aligné des pendentifs sculptés dans de l'os de vache. Une femme entre à son tour, portant un bébé dans ses bras. La fête tarde à commencer. Des vieillards, adossés à la fenêtre de la friperie, se racontent en maori des histoires qui ont l'air très drôles. Un crieur public annonce que les athlètes seront en retard. Voyageant par autobus, ils visitent chacun des villages de la côte. Isabelle achète un chandail de laine bleu pâle pour dix dollars.

Tous ces gens, ce magasin, ce village, tout me fait penser au Grand Nord. Dans quelques minutes, ce sera le *Hand Shake* du Nouvel An au gymnase de Puvirnituq, au Nunavik. Juste avant minuit, par tradition, tout le monde serre la main de tout le monde. La moitié des gens du village reste assise en formant un grand cercle tandis que l'autre moitié tourne à l'intérieur du cercle, la main tendue, dans le sens contraire des aiguilles d'une montre. À Tolaga Bay, en pays maori, les bébés sont portés sur le dos de leur mère comme en pays inuit. Devant le bureau de poste, un policier tente d'empêcher la foule d'approcher de l'autobus des joueurs de rugby qui s'apprête à se garer. Tout à coup, il se met à pleuvoir à verse.

Les adultes se protègent comme ils peuvent. Puis le soleil réapparaît. Les athlètes descendent. On les applaudit. Les joueurs sont énormes, plus grands d'une tête que tous leurs supporteurs. Ils marchent lentement, comme s'ils ne savaient pas où aller. Est-ce cela, la parade ? Le rugby est plus qu'un sport national en Nouvelle-Zélande ; il est l'occasion de vivre en maori.

L'âme d'Aotearoa est maorie. Si le sens du travail, les soins de santé, le commerce international sont occidentaux et pakehas, l'âme heureuse de ce pays est indéniablement maorie, tout comme l'âme heureuse du Québec me semble en grande partie coureuse de bois et coureuse de froid. La culture propre de la Nouvelle-Zélande est maorie. Tout le reste, ce qui tourne autour de la matérialité en particulier, est occidental, conduit par un fort esprit de performance. La plupart des parents pakehas souhaitent que leurs enfants « performent ». L'autre jour, à l'école, lors de la remise des prix, Isabelle participait à la soirée en tant que chanteuse dans la chorale. Les chants maoris, le chant d'introduction en particulier, m'ont conquis. Il régnait une atmosphère polynésienne, de Tahiti, d'Hawaï, de Samoa. Les cris des garçons, virils, renforçaient les voix des filles. Une amie d'Isabelle donnait le ton. Je me suis senti comme lors de certains moments forts, en pays inuit. Mais les grands gagnants des prix de l'école étaient pakehas. Les Maoris, eux, ont dû se partager les secondes places.

Même si l'on a beaucoup fait pour mixer les cultures maorie et occidentale, les façons antinomiques de concevoir le monde interfèrent dans les apprentissages et les résultats scolaires, dans la manière avec laquelle certains groupes étudient. Aotearoa, c'est le pays des Pakehas et des Maoris réunis par la force des choses. Ces gens, pourtant aux « antipodes » en tant que sédentaires et nomades, parviendront-ils à composer avec leurs différences intrinsèques ?

La fusion sédentaire-nomade ne se fera probablement jamais. Pourtant, il faut croire qu'un jour, au Québec, les gens des rives du Saint-Laurent comprendront toute l'importance d'accepter les cultures amérindienne et inuite, de les valoriser et de leur donner les moyens de s'épanouir. La culture québécoise sans ses forces autochtones ne peut survivre avec harmonie, parce que le pays lui-même s'est bâti sur ces forces-là, nordistes, vagabondes et nomades. Je rêve d'un amalgame un peu semblable à celui de la Nouvelle-Zélande qui ferait que les Amérindiens et les Inuits ne soient plus considérés comme des citoyens de seconde classe ou comme d'éternels assistés sociaux. Pour ce faire, il faudra que les gens du Québec sudiste, d'où qu'ils soient, quelle que soit leur origine, acceptent de mettre sur un pied d'égalité les cultures autochtones et la culture dominante.

Les héros du rugby s'arrêtent devant le magasin général. Le crieur leur souhaite la bienvenue.

Les adultes semblent s'amuser de ses boniments, tandis que les enfants se disputent des poignées de sucreries que le policier leur a lancées pour les faire patienter. Un groupe de femmes entonne un chant maori. Isabelle sourit. Un arc-en-ciel enjambe le plus long ponton de la Nouvelle-Zélande, sur la baie de Tolaga. Je resterais bien ici plusieurs jours encore. Pour vivre au rythme des Maoris. Pour vivre plus près des Maoris. Pour être ce que j'arrive à être quand je me trouve en pays inuit, c'est-à-dire un autre, découvrant que, sous la carapace formée par ma culture, il existe un « autre moi » capable de beaucoup de bonheur, parfaitement à l'aise, même plus à l'aise et plus heureux, à certains points de vue, dans la culture indigène que dans la culture occidentale.

15

Nous sommes bien à Wairoa, au milieu de rosiers en fleurs, au sommet d'une colline entourée de bétail, auprès de dindons qui gloussent, à l'ombre des citronniers, sans compter les pinsons qui me font penser au poème de Prévert où il est dit : « Pinson, pinson, pinson ». Pour la première fois depuis notre arrivée sur Aotearoa, j'ai ouvert une fenêtre de l'appartement. Deux ou trois moustiques en profitent pour entrer. Isabelle n'aime pas. Elle n'aime pas les araignées non plus, ces bêtes à longues pattes velues qui se fabriquent des nids par dizaines dans la salle de bains. Elle n'aime pas les fourmis qui pénètrent dans la maison à cause des ordures que nous avons laissées trop près de la porte. Elle n'aime pas que des insectes se promènent dans la cuisine. En camping, Isabelle accepte toutes les bêtes, crapauds, mille-pattes ou cloportes, mais dans une maison, pas du tout ! Moi, la seule chose que je n'aime pas, ce sont les fourmis qui fourmillent sur mon écran d'ordinateur. Il y en avait une grande filée tout à l'heure.

Nous quittons Wairoa pour découvrir d'autres plages. Dans une lagune, au nord de la pointe de Mahia, des *toreas*[1] au ventre blanc cherchent leur pitance entre les herbes odorantes. Isabelle chante en conduisant. J'essaie de lire. Quel plaisir de parcourir des chemins neufs avec sa fille quand il n'y a rien d'autre à faire que de donner quelques conseils : « Ralentis, mais ralentis ! Sacrebleu ! » Les Isabelle sont de formidables exploratrices, surtout quand elles apprennent l'art de filer sur des chemins qui se transforment vite en pistes de brousse où ça sent le jasmin, la cannelle, le romarin, le thé du Labrador et le pichou.

Presque par hasard, au gré des mille détours du chemin de terre, nous découvrons la plage de Mahanga. Salués par d'autres *toreas* qui clopinent sur le sable, tout noirs ceux-là (*Haematopus unicolour*), nous prenons l'air. Isabelle ramasse des coquillages pendant que je m'essaie une nouvelle fois à la pêche. La mer monte. Le Pacifique roule des vagues d'un vert si pur qu'il me semble admirer cette couleur pour la première fois. Les rochers à fleur d'eau dorment là depuis des millions d'années, grugés par d'innombrables ressacs. Je jette ma ligne dans les remous, je lance dix fois,

1. Nom maori de l'huîtrier pie (*oystercatcher*, *Haematopus ostralegus*)

cent fois, mille fois, je n'attrape rien, sauf de longues algues. Pendant ce temps, Isabelle remplit son sac de trésors trouvés dans le sable comme si elle avait six ans. Des hérons au vol gracile passent au-dessus de moi pour aller se percher tout en haut d'une colline herbeuse. Je décide d'y grimper : le village de Mahanga, minuscule, a l'air perdu devant sa plage gigantesque.

Nous repartons en nous promettant de revenir nous baigner dès qu'il fera plus chaud. À la pointe Mahia, pour la dernière fois, je tente d'attraper notre repas du soir. Dans une vasque naturelle creusée sur des rochers beiges, Isabelle étudie les sparages d'un bernard-l'ermite poursuivi par un minuscule poisson translucide. J'arrête de pêcher lorsque je perds mon dernier leurre. Tout pour qu'une fille se moque de son père, et avec de grands éclats de rire, et avec des sourires narquois, tout en faisant des blagues douteuses sur les capacités de ce père d'assurer la survie de ses proches !

Assis au bord de l'eau, nous avalons des sardines en boîte, du pain et des bananes. De nombreux *tarapungas*, les mouettes à bec rouge, ont l'air de considérer l'endroit comme leur fief. Ils se chamaillent pour des morceaux de fromage en lançant des râles affreux. Dans le guide d'identification des oiseaux, on parle du terrible *scrark* qu'émettent les *tarapungas* quand ils sont mécontents. *Scrark* est un bien faible euphémisme !

16

J'ai dû admettre à l'hôpital un patient qui souffrait d'une grave bactériémie. Il aurait pu en mourir. Il est probablement atteint de leptospirose. Cette affection, causée par un spirochète qui infecte l'urine des animaux et que je traite pour la première fois, est extrêmement rare au Canada. Mais ici, elle ne l'est pas du tout. Le microbe contamine les humains en pénétrant leurs muqueuses, les conjonctives en particulier. Aujourd'hui, le patient va mieux. Il devra cependant rester alité toute la fin de semaine. Il était content de me voir lors de la tournée des malades ; moi aussi. Plusieurs patients m'offrent souvent ce qu'ils ont de plus agréable : leur gentillesse. J'apprécie le fait de les rencontrer, de les aider. Tout ce que je souhaite, c'est de ne pas perdre pied dans cette réalité hospitalière.

Car je suis fatigué, fatigué de pratiquer ce genre de médecine rurale. Je dors de plus en plus mal. Je deviens nerveux, je ne voudrais pas, mais je subis des stress qui, si je ne fais pas attention, dépasseront mes capacités et ma tolérance au mal. Je me connais un peu mieux, depuis le temps que le métier médical m'a permis de gagner ma vie; je sens que je pourrais perdre complètement ma bonne humeur. Si je ne parviens pas à changer les choses, si les appels de soir et de nuit se poursuivent à ce rythme, l'angoisse existentielle qui m'habite va prendre le dessus. Bientôt, je ne serai plus heureux, ou je ne capterai plus les moments de bonheur qui me sont accessibles. À ma fille, j'ai envie de donner du bonheur. Pour la première fois du voyage, je sens tout le danger qui me guette. Je vais me reposer. Je dois me reposer. Dur métier…

Tout à l'heure, un gars de vingt ans est entré dans la clinique en disant qu'il avait de la chlamydia plein le pénis. Un autre médecin lui avait proposé de lui faire des prélèvements quelques semaines plus tôt. Mais le jeune homme n'avait rien voulu entendre, refusant même toute médication. Malheureux, aujourd'hui, il se plaignait encore de vilaines brûlures à la miction. Violemment, il remettait en cause l'intelligence des femmes, des docteurs, de la société, du monde entier. La seule chose qu'il ne questionnait pas, c'était lui-même. Je lui ai suggéré des antibiotiques, lui disant que s'il les prenait… Il m'a regardé avec une sorte de dégoût, puis il est sorti, les masses en l'air, en gueulant des obscénités.

J'ai ensuite gardé en observation un bébé qui venait de convulser. Simple convulsion fébrile, probablement, mais comme il en était à son quatrième accès depuis deux mois... J'ai voulu le transférer en pédiatrie, à Napier. Là-bas, on n'a pas jugé bon de le recevoir. L'hôpital de Wairoa me semble parfois tout juste un poste éloigné où les infirmières ne sont même pas habilitées à installer des solutés ! Je me sens ici plus dépourvu en ressources humaines que lorsque je travaille dans le Grand Nord québécois.

Une nuit, j'ai rêvé que je réprimandais violemment une employée qui portait sur la tête une coiffe d'infirmière. Elle ne voulait pas me rembourser le prix d'un billet d'autobus que je n'avais pas utilisé. Suis-je si inquiet de la tournure des événements face à mon métier ? Je vais laisser tomber mon poste à l'hôpital. Les gens de l'administration ne seront pas contents. On m'a fait comprendre qu'il faut normalement donner un préavis d'un mois avant de partir. Comme je peux être naïf, parfois. Je n'aurais pas dû m'engager à ce point. J'aurais dû laisser mieux voir qu'une fois les classes d'Isabelle terminées, ma vie ne serait plus la même, que mon travail n'aurait plus la même signification.

Lundi, jour de congé, nous ferons une virée jusqu'à Napier, au sud de Wairoa. Isabelle aimerait y visiter la maison des kiwis. Ses vacances d'été auront alors commencé. Avant que ce soit à mon tour de ne plus travailler, elle achèvera ses travaux scolaires apportés du Québec. Va-t-elle s'ennuyer ? Je ferai en sorte qu'elle puisse conduire la Honda tous les soirs sur la route de la plage. Elle veut voir des kiwis… On y va ! Elle veut se baigner avec les dauphins dans la baie de Plenty… On ira ! À ce propos, j'ai pris une réservation. Nous partirons vendredi soir. Si le temps le permet, nous plongerons samedi prochain avec un groupe de *Delphinus delphis.*

Il y a du givre plein les vitres de l'appartement. La chaufferette de la pièce centrale bat la mesure et cliquette comme si, à bout de forces, elle allait mourir. Habituellement, à ce moment-ci de l'année, les Kiwis se baignent, vont à la mer… habituellement. Il a neigé ce matin à Dunedin, sur la côte est de l'île du sud. Il est tombé cinq centimètres de belle neige, comme cela arrive parfois chez nous, en octobre. « Tiens, le Nordique qui apporte les vents du Sud ! » m'a lancé la secrétaire de la clinique. C'est vrai que, sur Aotearoa, la froidure vient du Sud. Ai-je décidément perdu le Nord ?

Dans la tranquillité de notre chez-nous, je poursuis mes lectures concernant la vie inuite. Cela me permet de comprendre un peu mieux les Maoris. Isabelle travaille dans ses livres : physique et maths. La vie peut être d'une telle simplicité… Isabelle vit sa vie d'étudiante. Moi, je vis ma vie de soignant. Je ne suis pas sûr que ma fille soit passionnée par les mathématiques. De fait, elle ne démontre aucun engouement pour cette activité mentale. Moi, je suis loin d'être passionné par les gardes de nuit. Pourtant, tous les deux, nous savons pourquoi nous sommes ici : pour être ensemble, pour préparer notre prochain départ, la prochaine expédition. En attendant, nous vivons au cœur d'une certaine quotidienneté, en découvrant petit à petit l'univers humain autour de nous, étudiants, soignants, Maoris ou Pakehas.

17

Dans la baie de Plenty, nous prenons le large pour nous rendre à mi-distance de White Island, l'île où fume un gros volcan ventru. Vêtus d'une combinaison de plongée, équipés de tuba et masqués, nous sautons à la mer. L'heure est à la baignade avec les dauphins qui font des ronds dans l'eau, excités par notre présence, mais sans doute davantage par un banc de petits poissons qui se trouve juste sous nos palmes. Des myriades d'oiseaux de mer volent au-dessus de nous en tournoyant. Les fous de Bassan plongent comme des fusées. On se croirait autour de l'île Bonaventure, mais sans rocher Percé. À l'aide d'une petite caméra sous-marine, Isabelle photographie les *delphinus.* Elle me fait signe : une grosse méduse gélatineuse, à dix centimètres de ma joue, fait ondoyer de longs tentacules bleutés.

Nous sommes une dizaine d'excursionnistes, guidés par un jeune biologiste pakeha. Le capitaine maori, bronzé, avec une grosse moustache noire, nous a conduits droit sous la bande d'oiseaux tourbillonnants, elle aussi attirée par la nourriture en quantité. À ma première plongée, j'ai avalé plusieurs gorgées d'eau. J'ai respiré comme j'ai pu, j'ai dû remonter à bord pour rajuster l'équipement de plongée, le masque, le tuba, le bonnet de la combinaison qui m'étranglait, puis je me suis de nouveau lancé à l'eau. Moi, flottant comme un bouchon, bougeant comme un pantin, respirant avec bruit et recrachant tant bien que mal l'eau salée qui s'infiltre par le tuba, je me dis que, s'il fallait que quelque chose aille mal pour ma fille, je ne serais pas à la hauteur de la situation. Je me sens loin de mes éléments naturels, des chutes, des lacs, de la glace ou de la banquise. Mais Isabelle connaît bien les masques et la plongée. Elle s'est déjà entraînée à son école, l'an dernier. Je m'en remets à mon destin et au sien, à l'innocence de l'apprenti plongeur que je suis, à l'intelligence de notre guide qui, de loin, surveille le groupe.

Encouragés par les cris aigus des dauphins, nous plongeons, refaisons surface, replongeons. Chaque fois que nous nous éloignons un peu trop du bateau ou que les dauphins disparaissent, le capitaine redémarre ses moteurs et nous fait rembarquer, histoire de laisser revenir les cétacés qui s'amusent beaucoup plus de la vitesse du bateau que de l'inertie des humanoïdes en mer. Isabelle réalise un vieux rêve. Un film québécois, *La grenouille et la baleine*, dont l'action se déroule sur la Côte-Nord, aux environs de la rivière

Mingan, a été déterminant pour elle. En toute réalité, elle refait son film à elle.

Quatre heures plus tard, dans une mer de plus en plus agitée, nous rentrons au port. Puis nous dînons en compagnie d'une gynécologue américaine, originaire de Géorgie, qui travaille depuis six mois à l'hôpital de Whakatane. Elle a failli rater le bateau ce matin. Les Kiwis, gentlemen, l'ont attendue, prenant la mer avec une demi-heure de retard. La gynécologue repartira bientôt en direction des États-Unis. Elle compte toutefois revenir dès janvier afin de travailler en Nouvelle-Zélande pour une autre période de six mois. Elle nous parle de sa pratique américaine avec un peu d'amertume. Le genre d'activités qu'elle devait mener dans une clinique privée avec cinq médecins, tous des hommes, ne lui convenait pas. L'agence qui l'a engagée a payé son billet d'avion. Mais, en retour, elle a dû accepter de faire le trajet Atlanta-Los-Angeles-les-îles-Fidji-Sydney-Wellington-Auckland-Whakatane avant de commencer, une douzaine d'heures plus tard, une longue série de gardes. Je suis content d'avoir payé tous mes frais de déplacement pour arriver ici. La liberté a un prix. J'espère toutefois que les administrateurs de l'hôpital de Wairoa ne me feront pas de misères à cause de ma démobilisation imprévue.

Au camping d'Ohope, j'écris pendant qu'Isabelle se promène sur la plage. J'aimerais connaître le nom des fleurs jaunes qui recouvrent la dune séparant notre tente de la mer. Je vais consulter le *Lonely Planet.* Hier soir, nous avons soupé sur une autre plage, à Edgecumbe, un peu à l'ouest de Whakatane. Trois pêcheurs à la ligne, entourés de leur marmaille, tentaient d'attraper des *snappers.* À l'embouchure d'une petite rivière, des enfants s'amusaient avec un gros chien brun tandis que, sur une planche de surf, des adolescents faisaient les fous, tirés par un bateau a moteur. En soirée, nous sommes allés voir le film australien *Bootmen.* Isabelle a été charmée par les gars en bottes de travail qui dansaient dans une usine désaffectée. « En plein mon genre ! » m'a-t-elle dit. La fascination de ma fille pour les danseurs m'a fait sourire. Je dois avouer que j'ai été conquis par le rythme de ce film, par la musique ponctuée de milliers de coups de talon et de martèlements, soutenue par le jeu des batteurs sur des couvercles de poubelle. À la sortie du cinéma, il y avait grande animation dans les rues du port de Whakatane. Le long de la promenade, sur le bord de la mer, il faisait doux. Moi qui n'aime pas le mot « vacances », je me sentais en vacances. C'était bon.

18

Entre Ohope, Opotiki et Gisborne, nous revenons sur nos pas au cœur d'une vallée où les tournants en épingle sont innombrables. Les montagnes, couvertes d'arbres, sans moutons ni bétail, donnent l'impression que cette partie du pays n'a jamais été défrichée. Je songe aux monts Chic-Chocs, en Gaspésie. Isabelle se moque de mes incessantes comparaisons avec le Québec. En vue de l'océan, tout à coup, nous entonnons en même temps la chanson *Je voudrais voir la mer*, de Michel Rivard. Nous rions de cette simultanéité, amusés par la profonde connexion qui s'est établie entre nous. Tout à coup, Isabelle me demande de prendre une route qui a l'air d'un raccourci sur la carte. Ce petit chemin, en effet, paraît suivre les contours du littoral au lieu de faire comme la route nationale et de traverser les montagnes. Isabelle affirme vouloir admirer les caps et les vagues. Je sais bien, au fond, qu'elle veut conduire.

Des marées de bêtes laineuses paissent sur les pentes abruptes, donnant l'impression, de loin, qu'il a neigé. À proximité des gouffres, je serre parfois les fesses. Mais Isabelle mène fort bien notre véhicule. Finalement, après n'avoir croisé qu'une seule voiture, nous parvenons à un cul-de-sac. Aucune route ne va plus loin. Les camions chargés de grumes de pin blanc tournent là et pas ailleurs ! Isabelle vire de bord. Nous précipitera-t-elle corps et biens dans le Pacifique ? Je finis par m'endormir, réalisant ce vieux rêve de me laisser mener par ma fille sur une route étrangère. Et je rêve.

Je joue dans un film tourné par François, un ami du Grand Nord. Nous nous trouvons dans une vieille maison de campagne. Au moment où je dois m'exprimer, je me rends compte que je ne sais plus mon texte, mais plus du tout. Je n'ai pas de script en main. Il n'y a personne autour de moi pour m'aider. Je me faufile parmi les différents personnages sur le plateau de tournage. Par le plus grand des hasards, l'un des comédiens a un script dans sa poche arrière. Je le lui chipe et, pendant que le tournage se poursuit, je me cache derrière une armoire pour mémoriser le texte. Dès que j'ai terminé, je me retrouve couché sur un vieux matelas, dans la pièce même où se déroule l'action, devant tout le monde. Les personnages sont habillés en costumes de carnaval. Quand ils me voient, ils se mettent à rire, soulignant que je nuis au tournage, mais que ce n'est pas grave. Ils m'aiment bien. Nous faisons la fête. Mon amoureuse apparaît tout à coup et me prend dans ses bras. Je m'amuse beaucoup, jusqu'au réveil.

N'est-ce pas mon inconscient qui rigole et apprécie ma décision de terminer plus tôt que prévu mes activités médicales à Wairoa ? Primo, je rêvais de voyages et d'expéditions avec Isabelle. Secundo, ce travail ne me convient pas, mais vraiment pas. Tertio, mon amoureuse s'en vient. Elle va bientôt être là. Avec elle et ma fille, je veux vivre une complète virée dans l'île du Sud, histoire de nous colletailler avec les glaciers, les fjords et les Alpes kiwies. À l'hôpital, on a trouvé un autre médecin pour me remplacer. Il s'agit d'une femme, d'origine canadienne elle aussi, de l'Ontario. Grâce à elle, je ne subirai pas les foudres de l'administration. Quelques patients âgés, une vieille dame entre autres, se sont montrés hargneux parce que je pars. Je les comprends. Ils doivent encore une fois changer de médecin de famille. Les Maoris paraissent moins se formaliser de ma démission que les Pakehas. Les nomades acceptent toujours mieux que les sédentaires la mouvance des autres.

L'avant-dernier patient qui m'a consulté avait soixante-huit ans et des yeux d'un bleu azur. Il toussait beaucoup, en raison d'une vilaine bronchite. Cultivateur, il m'a parlé des beautés mais aussi des duretés de l'existence en Nouvelle-Zélande. Cet homme, né à Wairoa, avait été fermier toute sa vie. Il avait engagé des dizaines et des dizaines de Maoris comme tondeurs de moutons. Il trouvait que la vie était plus facile maintenant, surtout depuis que la valeur du dollar néo-zélandais avait dégringolé sur les marchés de change. Les exportations avaient augmenté. Mais lui, il était vieux, c'est ce qu'il disait. Cette toux était peut-être le signe d'un cancer… c'est ce qu'il croyait. Il avait raison.

Ma toute dernière patiente avait dix-neuf ans. Incapable de surmonter la souffrance d'un avortement, elle songeait au suicide. Ses parents ne savaient rien de son mal d'être. Elle ne voulait pas qu'ils apprennent qu'elle avait choisi de se faire avorter, neuf mois plus tôt. Maintenant, elle s'en voulait à mort. La psychologue qui l'accompagnait souhaitait que je lui prescrive un antidépresseur. Elle était tellement triste, la jeune Maorie : au bord de l'abîme. Quand elle est sortie de mon bureau, j'ai senti que mes ultimes énergies de soignant s'enfuyaient avec elle. La psychologue, souriante, m'a remercié de les avoir reçues. Elle a paru satisfaite de la rencontre. Elle m'a longuement serré la main. Mais sa patiente s'était tue, complètement affaissée. La misère des autres me laisse pantois, quasiment exsangue parfois.

Quand il s'agit de rencontrer une jeune fille qui souffre dans son corps et dans son âme après un avortement, je la reçois. Son avortement, celui qu'elle a choisi, je le fais mien. Il est de mon devoir de l'aider à affronter l'épreuve. Tous les autres préceptes ou dogmes ou enseignements moraux deviennent vains à partir du moment où une jeune fille choisit de se faire avorter. Face à une tranche de vie si périlleuse, ma tâche est de me consacrer à l'Autre. Comme soignant, je dois accompagner les souffrants. Je ne dis pas qu'il y a lieu de banaliser l'avortement. Je penserai toujours qu'il s'agit là d'une grave affaire. Avorter, aider quelqu'un à vivre un avortement, en pratiquer un soi-même, c'est plonger au centre de ce que l'âme humaine peut vivre de plus déterminant.

Entre deux départs et deux destinations, je redeviens léger. Je rêve d'atteindre le sommet du Taranaki ; Isabelle aussi. Il y a un mois, nous n'avons fait que toucher la frange de ses neiges. Hier, j'ai téléphoné à un gardien du parc national. Il m'a dit que les conditions d'ascension étaient encore très hivernales. Le sommet demeure couvert de neige dure. Il nous faudra assurément des crampons et des piolets. Lorsque j'ai voulu louer cet équipement dans une boutique de New Plymouth, on m'a répondu qu'on ne prêtait aucun matériel aux novices... Je comprends les protecteurs des humains de se préoccuper des aventuriers de passage... je comprends. Mais je m'ennuie de mes lacs et de mes rivières du Nord, là où je suis seul maître de mon avenir et des mille projets que j'ai dans la tête. Qu'on détermine pour moi ce qui est sécuritaire ou non, ce qui fait partie de l'aventure ou non, ne me plaît pas. Isabelle pense qu'il y a bien un autre volcan qu'on pourra escalader jusqu'au sommet. Je le pense, moi aussi.

19

C'est un chant d'oiseau qui m'éveille ce matin. Je songe aux régions du monde où les oiseaux peuvent siffler de véritables sonates, comme dans la toundra, dans l'ombre blanche la plus totale. Là, les oiseaux sont capables de véritables prouesses. L'été, les arbres chargés de feuilles, les oiseaux gracieux, c'est bien ! Mais un corbeau – *tulugaq*, dit-on en inuktitut –, un seul fou braque avec du givre sur le bec qui ose affronter le blizzard, voilà l'exploit !

Nous quittons Wairoa pour de bon. Plus jamais nous n'irons nous promener sur la grève de sable noir au bout de la lagune de Wairoa, entre les troncs d'arbres aux formes dinosauriennes. Plus jamais nous ne chercherons la Croix du Sud à partir de la colline où nous habitons. Mais je suis encore sous le choc de mes dernières semaines de travail. Le fait d'abandonner ce boulot va me soulager d'un énorme fardeau d'existence.

Nous partons vers le sud, en direction de Napier, petite ville côtière située sur un plateau.

Nous l'avons déjà visitée. On dirait une espèce de San Francisco, mais en minuscule, évidemment, avec ses maisonnettes aux toits de tuiles rouges et ses rues en pente d'où l'on aperçoit de tous côtés le turquoise du Pacifique. Après quatre-vingts kilomètres de route tortueuse, nous faisons une pause au parc White Pine, histoire de nous dégourdir. Un petit pont enjambe un ruisseau où coule une eau brunie par les fortes pluies des derniers jours. Dans l'un des sentiers du parc, nous identifions un arbre au tronc semblable à celui d'un cocotier, mais dont les feuilles sont des palmes : un *nikau.* Du même coup, je retourne cent millions d'années en arrière ! Un archéoptéryx à grandes ailes va s'envoler d'un taillis ! Avant l'arrivée des Européens, aucun mammifère n'évoluait sur Aotearoa, sauf des chauves-souris. Aujourd'hui, elles sont en danger d'extinction. Quant aux archéoptéryx…

Isabelle s'enthousiasme des mêmes beautés que moi et, chose que j'apprécie au plus haut point, son imagination s'enflamme autant que la mienne au contact de ces arbres si différents de ceux d'Amérique. Des ptérodactyles se bousculent dans les bosquets, prêts à foncer sur nous ! Ensemble, nous cheminons sur des sentiers boueux en glissant à tout moment, en blaguant sans arrêt. Isabelle me confie certains de ses rêves, concernant la musique en particulier. C'est un musicien qui, un jour, la rendra heureuse, c'est ce qu'elle croit. Elle en parle avec une certaine désinvolture, puis elle se tait, gardant pour elle bien d'autres secrets, j'en suis conscient et c'est mieux ainsi. Elle me dit son contentement de n'avoir jamais été en conflit ouvert ni avec son père ni avec sa mère. Je me rends compte que l'éclatement de sa famille, la brutale interruption de ce qu'elle avait connu pendant douze ans, elle l'a mieux assumé que son père lui-même. Aujourd'hui, elle ne souhaite que continuer à triper. C'est pour cette raison qu'elle a accepté de partir à l'aventure en Nouvelle-Zélande, alors que pour certaines de ses amies… « Partir aux antipodes avec mon père ? Es-tu folle ? » La marche donne le goût de parler. La marche permet à la parole de s'exprimer avec plus de liberté, plus de légèreté aussi. La marche relève du grand art de vivre.

C'est en marchant que mon esprit se débarrasse de ses scories, de ses épouvantails, de ses brisures. En marchant, quand je suis seul, je parviens à faire ce que les bouddhistes zen réussissent si bien quand ils méditent sciemment. Par le vide, j'arrive à m'emplir d'une partie de la beauté du monde. Le ruisseau devient mon ruisseau. Le torrent fait partie de moi-même. Tout à coup, je m'entends siffloter l'air de la symphonie *Pastorale* de Beethoven. À cet instant, marcher n'est plus marcher. Marcher devient une danse, une glissade, un envol, un acte bien réel qui dépasse tous les autres. Grâce à la marche, j'accède à l'état de musique, faisant ainsi le pont entre la réalité de la poussière de mon chemin et celui de hautes sphères inaccessibles autrement que par l'esprit.

Après avoir pris une douche au pied d'une mince chute d'eau, nous rebroussons chemin. Isabelle veut avoir le temps de magasiner à Napier. Elle aimerait se procurer un disque des Beatles afin de varier le menu de nos chansons. Nous ne cessons de chanter quand nous voyageons en auto. Nous chantons comme la vie aime que les pères et les filles chantent à tue-tête. La musique contribuera toujours à notre bonheur, à Isabelle et à moi.

J'aime quand les musiciens deviennent eux-mêmes guitare, piano, clarinette ou contrebasse. De la même façon, certains chanteurs se transforment en harmonie. C'est ce qui arrive dans le film *Buena Vista Social Club* que nous avons vu il y a quelques jours. Nous y avons découvert le portrait d'un groupe de musiciens cubains, dont celui de Rubén Gonzalez qui, à quatre-vingts ans, révèle encore d'étonnantes capacités vocales. Dans ce qui aurait pu n'être qu'un simple documentaire, Wim Wenders parvient à montrer que des gens, autrement usés, sont capables de se métamorphoser en musique.

20

Sur les bords du lac Tutira, je recommence à me sentir libre. Des cygnes et des canards malards barbotent joyeusement près des rives. Lorsque nous faisons halte pour manger, un grand cygne australien vient pique-niquer avec nous. Il en veut au sandwich d'Isabelle, qui ne trouve pas très sympathique ce grand oiseau au bec apparemment dangereux. Je lance des bouts de pain dans les jambes de ma fille. Elle gueule.

En randonnée sur un sentier ceinturant le lac, nous grimpons dans les collines pour y affronter une armée de vaches et de moutons. Isabelle s'imagine que les vaches sont des bœufs. C'est qu'elle n'arrive pas à voir les pis. Une grosse vache, ou un bœuf, nous suit. Isabelle n'aime pas cela. C'est alors que son héros de papa la sauve en courant vers la bête pour l'effrayer. La bête charge, la vache était un bœuf à cornes, le papa est mutilé pour la vie. Mais non ! La vache détale sous le couvert d'une pinède quand elle voit le super-héros faire de grands moulinets avec ses bras.

Nous redescendons la montagne en pilassant dans le crottin de mouton. Les odeurs ne sont plus celles du printemps. Aujourd'hui, c'est l'été ! Dans un champ couvert de petites fleurs d'or, nous gambadons. Des enfants se baignent dans le lac et se chamaillent autour de bateaux gonflables. Plusieurs familles ont monté leur tente au bord de l'eau, près d'une saulaie. Un coq, fièrement, s'y promène. Qu'est-ce qu'il fait là, l'animal ?

Je pense à Friedrich Nietzsche, l'homme de *Zarathoustra*, celui qui a tant marché dans les Alpes italiennes. Je me dis que l'écrivain, fragile, a dû vivre d'étonnantes rencontres durant toutes ces années d'errance, le long des sentiers alpestres. Tout ce qui m'entoure en ce moment, les arbres, les collines, les animaux, me paraît magnifié. Mais le poète Pessoa le rappelle sans cesse : le paysage n'est ni beau ni laid ; les animaux ne sont ni bons ni mauvais ; la Nature est, un point c'est tout. Ce sont les humains qui ont le pouvoir de faire de leur entourage ou bien un éden ou bien un enfer. Isabelle se pâme pour de minuscules fleurs violettes qui poussent de chaque côté du sentier. Elle s'exclame devant la lumière des lieux. Elle commente la physionomie des moutons qui, selon elle, possèdent chacun un visage particulier, une personnalité propre. On imagine fort bien qu'un bon berger pourrait connaître le nom de chacun de ses moutons, parmi les deux mille du troupeau. Pourtant, amoureux de ses animaux ou pas, ce berger devrait tout de même se décrotter chaque soir les godasses de tout le caca ramassé pendant le jour. De retour dans l'auto, nous notons que ça sent effectivement le caca ! Isabelle en a plein ses souliers, moi plein le bas de mon jean.

J'aimerais aborder le Tongariro Crossing à partir de Ketetahi, dans la partie nord du parc national. Mais Isabelle se plaint d'une douleur aiguë à la cuisse gauche. S'est-elle coincé un petit nerf entre l'aine et la crête iliaque en marchant autour du lac Tutira ? Commence-t-elle tout simplement une tendinite ? J'aimerais tenter une véritable escalade du Ngauruhoe. Mais Isabelle tient à peine sur sa jambe tendue.

Pourquoi tant vouloir toucher un sommet ? Est-ce parce que j'ai eu le sentiment de toucher à mes limites à Wairoa, mes limites de soignant, un peu comme j'avais expérimenté mes limites physiques lors de ma dernière expédition dans le Grand Nord ? J'avais alors entrepris le tour du Québec en motoneige avec mon ami Jean-Benoît. Belle folie, qui s'est terminée abruptement dans le no man's land entre Kuujjuaq et Shefferville. Nous n'avions pas de guide inuit. Nous avons dû nous arrêter, à court de carburant. Belle folie que je ne regrette absolument pas.

Pourquoi toujours cette quête, cette envie d'aller plus haut, plus loin ? Je ne saurais fournir de réponse précise. J'adore les défis. Ils donnent un sens supplémentaire à ma vie. J'ai fini par réaliser que j'avais besoin de défis. Mais apprendre à se connaître constitue une obligation, sinon il y a toujours danger d'outrepasser ses limites et de tomber dans la maladie, qu'elle soit physique ou psychique. On le sent : à l'extrême de l'Extrême, on frôle constamment la perte de contrôle, l'abîme, le gouffre. Ce n'est pas qu'il faille garder à tout prix un pouvoir rationnel sur sa vie. Mais le fait de conserver son corps et son esprit en bon état permet d'être patient et plus aimant, pour soi-même comme pour les autres.

21

Il tombe des clous sur Whakapapa, des clous et des cordes. Ce n'est pas le déluge, mais si ça continue... Le temps qui semblait vouloir s'éclaircir en après-midi s'est tout à coup embrouillardé. Il pleut pendant que nous soupons dans un abri du camping. Grâce à la toile que nous avons installée au-dessus de notre vieille tente, nous ne passerons pas la nuit dans une espèce de mare à canard, d'autant plus que notre plancher n'a plus rien d'imperméable. Il pleut, il mouille, mais demain il fera soleil ! Nous comptons escalader le Ruapehu. La boiterie d'Isabelle nous a obligés à renoncer au Ngauruhoe. Puis ma fille s'est reposée. Sa douleur à la hanche a disparu. Le Ruapehu s'est présenté à nous, en plein sur notre route...

Pour atteindre la cime du volcan, on nous dit qu'il faut de sept à huit heures à partir de la station de ski située à mille six cent trente mètres d'altitude. De là, en suivant le trajet des télésièges, puis en parcourant la ligne des crêtes dans la neige, on parvient au cratère, mille mètres plus haut. Tout à l'heure, nous sommes allés repérer les lieux. Isabelle conduisait l'auto sur une route tout en lacets. Elle était fière de mener notre barque sur une voie double où nous aurions pu rencontrer d'autres véhicules. J'étais un peu inquiet, au cas où quelqu'un aurait voulu nous demander nos papiers, mon permis de conduire, son âge, je ne sais trop. Je n'aurais pas aimé avoir des ennuis avec la police, à ce stade-ci du voyage du moins.

Au centre de ski, tout était cadenassé. On ne remet les remonte-pentes en activité qu'à la mi-décembre, pour les touristes, randonneurs, photographes et autres amateurs de sommets. Je suis très excité à l'idée d'escalader le Ruapehu. Sur les collines tout autour, dans les vallées, près des ruisseaux, partout émergent des pierres géantes. Six ans plus tôt, l'éruption du Ruapehu a provoqué un véritable orage basaltique. Isabelle s'interroge sur les risques d'une éventuelle explosion, alors que nous serions en train de contempler le monde. Le danger m'exalte. Mais le danger, ici, me paraît tout à fait minime, en ce moment en tout cas.

Histoire de passer le temps, nous nous mêlons aux visiteurs de Taupo. Cette ville se trouve sur les bords d'un immense lac, caldeira formée par une éruption qui se serait produite il y a environ mille huit cents ans. La violence du choc aurait dispersé des pierres jusqu'à Wairoa, trois cents kilomètres plus à l'est ! La colonne de fumée et de cendres montait jusque dans la stratosphère… Le grand dérangement, quoi !

Demain, nous gagnerons donc le sommet du Ruapehu, à moins que la pluie ne perdure. Je ne déteste pas être dirigé par le temps, bien que j'aime parfois le « forcer », sachant que des volontés autrement plus puissantes que les miennes mènent le bal. Mon existence prend toujours un sens plus aigu lorsque j'affronte la Nature. En écoutant la radio, nous avons su que, cent kilomètres plus au sud, à Wanganui, il faisait soleil. La dépression atmosphérique ne fait donc que frôler le lac Taupo. Quel drôle de climat que celui d'Aotearoa, maritime à souhait, variable, toujours changeant selon les dépressions et les crêtes de haute pression au-dessus de la mer de Tasmanie, de l'Antarctique ou du Pacifique ! Le détroit de Cook, qui sépare les deux îles, constitue le point de rencontre de forts courants marins.

Isabelle me demande où nous passerons Noël. Dans l'île du Sud ? Je réponds tout en l'interrogeant. Mais où, exactement ? Ma fille me dit qu'elle aimerait observer les fameux cachalots de Kaikoura. Comme toujours, elle rêve de baleines, de plongées, de courses sur la mer. Douce obsession. Les mammifères marins forment une classe à part dans l'imagination contemporaine, depuis que la plupart des espèces animales du monde sont menacées. La Terre se vide de ses animaux et de ses différentes plantes pour laisser place aux humains. Les êtres avec la sensibilité d'Isabelle deviennent les porte-parole d'un inconscient collectif coupable, souffrant, mais aussi capable de compassion. Nous sommes loin du temps où les baleinières sillonnaient les mers les plus lointaines en se préparant au pire, capitaines et matelots ayant le sentiment d'accomplir leur devoir tout en traquant la Bête, le monstre intelligent. L'inverse est survenu ; plusieurs groupes considèrent dorénavant que la Bête dangereuse, c'est l'Homme.

22

À cinq heures du matin, j'éveille Isabelle qui grogne un peu. Elle me demande quel temps il fait. Je dis : « J'ai vu la lune pendant la nuit. » Ma fille ne veut pas se lever, pas tout de suite en tout cas. Je lui dis que les vrais montagnards partent toujours très tôt. Elle a beau rétorquer que son père n'est qu'un montagnard de colline, elle se lève ! Nous déjeunons, puis gagnons la station de ski du mont Ruapehu, sept kilomètres plus au nord. Là, tout est silencieux. Les sommets du Tongariro et du Ngauruhoe semblent capter toute lumière nouvelle. Une mer de nuages nous empêche d'admirer la plaine en contrebas.

Nous commençons la randonnée en suivant le plan fourni par une naturaliste du centre d'information, progressant plutôt rapidement sous la ligne des pylônes d'un remonte-pente. Le ciel est d'un bleu rare. Mon cœur bat fort. J'ai la profonde intuition que tout va bien se passer. La sensation de vivre en faisant chaque geste le plus parfaitement possible constitue une grâce. Le ciel, l'air pur, l'absence de vent, tout me paraît profondément harmonieux dans ce monde de pyroclastes. J'adore avoir l'impression qu'il a plu des pierres. Le magma en fusion, en se refroidissant, se charge de bulles d'air, d'où l'aspect poreux des roches enjambées.

À sept heures et demie, nous atteignons les premières surfaces nivales. La croûte nous supporte bien, mais elle est si dure que je me demande si nous pourrons poursuivre longtemps sans crampons, lorsque la pente se fera plus abrupte. Pour l'instant, nous profitons de traces profondes laissées la veille par d'autres grimpeurs. Tout à coup, nous croisons un groupe d'une dizaine de personnes, prêtes à redescendre, de toute évidence. D'où sortent-elles ? Ont-elles dormi dans un refuge ? Une jeune fille me salue en passant. En marchant plus vite, elle s'éloigne du groupe. Comme je dois attendre Isabelle, je prends quelques photos de la montagne. J'avance d'une vingtaine de pas. Soudain, j'aperçois la jeune fille en train de faire ses besoins derrière un rocher. Surprise, elle fronce les sourcils. Elle n'est pas vraiment contente de me voir. L'air de rien, je recule. Isabelle me rejoint.

De nouveau seuls, nous dépassons les derniers piliers du remonte-pente en utilisant toujours les traces bien marquées dans la neige. Sans elles, nous aurions dû rebrousser chemin. La croûte demeure solide. Le danger de glisser devient très réel. Mais, de marque en marque, je monte, excité par l'idée du sommet. Il vente, juste un peu. Malgré le soleil qui tape dru, nous ne suons pas. Le ciel est un but en soi.

Sur une pente inclinée à cinquante degrés, nous progressons en faisant de larges boucles. Mais, cette fois, grâce à la chaleur du jour, nos bottes pénètrent la croûte nivale. Les traces s'arrêtent brusquement, à environ trois cents mètres du sommet. Je ne cesse de taquiner Isabelle au sujet de l'excellente décision du montagnard d'être parti si tôt le matin. Elle me dit qu'en vieillissant je fais du « rhododendron », ce qui veut dire qu'elle me trouve passablement redondant avec mes commentaires. Être vieux, c'est être « radoteux ». Isabelle n'a pas tort.

Trois heures après notre départ, nous touchons enfin aux lèvres du cratère. Là, pas de bouillonnements sulfureux, rien qu'un petit lac ovale recouvert de neige pure, et le monde, le monde à perte de vue, à deux mille sept cents mètres ! De l'infini tout blanc sur les flancs d'un cratère comme sur les crêtes. Et du ciel, du ciel ! Je repense aux yeux brillants des randonneurs quand ils reviennent d'un sommet, après avoir bataillé contre la gravité, contre la fatigue, contre les défauts du corps. Nous, nous avons su profiter d'une trouée dans les nuages, puis l'horizon nous est apparu, totalement, avec sa gamme de bleus, du bleu le plus tendre au bleu parfaitement royal !

Le monde à nos pieds, nous mangeons, assis sur un chandail de laine et sur nos foulards. Au nord-ouest, le Taranaki étincelle. Ce monde est à nous, il palpite juste pour nous entre nos tempes. Au cœur de l'hiver, le pays, l'air, l'atmosphère, la neige, la roche et le volcan tranquille sous nos semelles, tout me rend euphorique. Un hélicoptère se pose non loin de notre pic. Deux hommes en descendent. L'appareil repart et vient nous survoler. Le pilote ne nous envoie pas la main.

La neige nous supportant remarquablement, le retour se change en course. Après une demi-heure de descente, nous faisons la rencontre de huit jeunes hommes qui s'apprêtent à terminer l'ascension. Isabelle y va de plusieurs commentaires dans le genre : « Pas mal beaux, les gars ! » Ils nous demandent comment s'est passée notre montée. Ils veulent savoir à quelle heure nous sommes partis. Maintenant, ils commencent à enfoncer dans la neige. L'un deux a l'air de dire qu'ils auraient dû se grouiller, partir plus tôt. De petits ruisseaux naissent un peu partout, coulent dans les crevasses.

Nous dévalons les névés. Un second hélicoptère fend le ciel. Pendant toute l'heure qui suit, il ne cesse de transporter du matériel, d'un point situé à la limite des remonte-pentes jusqu'au stationnement du centre de ski. Dix, vingt, trente voyages ! Ses vrombissements finissent par m'énerver. L'exceptionnelle tranquillité du périple est bel et bien terminée. Même Isabelle, pourtant beaucoup plus tolérante au bruit que moi, se plaint du vacarme.

Deux heures après avoir quitté le cratère, nous retrouvons la route et notre véhicule. Je n'ai plus qu'une envie : fêter ! Je voudrais que des amis soient là pour nous féliciter d'avoir atteint notre but. La difficulté n'était pas extrême, j'en conviens, mais nous avons réussi !

Demain, nous partirons vers Whakatane. Si la mer est calme, nous nous rendrons à une trentaine de milles nautiques au large, dans la baie de Plenty, jusqu'au volcan White Island, si actif qu'on doit apparemment porter des masques à gaz pour éviter l'intoxication par le soufre et l'ammoniac.

Je vis ces jours-ci une rêverie toute « volcanique ». Je lis tout ce qui me tombe sous la main à propos des forces telluriques qui hantent la Nouvelle-Zélande. Deux plaques tectoniques se frôlent, se touchent, se fracassent sous ces îles.

23

Assommé par une migraine carabinée, je me suis endormi tout de suite après avoir mangé. Je ne m'étais pas reposé à mon retour du Ruapehu. J'aurais dû, ébranlé par cet effort physique inhabituel, par la déshydratation aussi, par le soleil, par l'euphorie. Je me doutais que mon corps serait amoché. Mais à ce point ? Pendant neuf heures d'affilée, j'ai dormi comme une bûche.

Ce matin, je revivrais ma journée d'hier sans rien y changer, sauf que je viserais cette fois un nouveau sommet. Le Ngauruhoe ! Même avec un corps qui crie de douleur, quelle joie de sentir que chaque geste qu'on fait prend tout son sens. Toute respiration, tout mouvement a de l'importance, un bras qui se lève, par exemple, avant de laisser le bâton de marche se ficher dans la neige.

Mais nous n'accéderons à aucun sommet aujourd'hui. Isabelle n'y tient pas. Elle a plutôt envie de se déplacer, de voir autre chose, de courir le pays. Elle souhaite se rendre plus au Nord. Moi, j'aimerais remettre ma tête dans la position où le regard se trouve obligatoirement fixé vers le ciel. Pour la première fois du voyage, nos envies divergent.

J'écris à la table de la cantine. Isabelle voudrait que nous partions tout de suite. Ma fille nomadise. Déjà, elle est ailleurs. Moi, j'écris. L'écriture constitue un de mes lieux de méditation, mon espace de recueillement. Un moment de lecture ou d'écrivage, et l'âme retrouve la paix nécessaire pour respirer un grand coup. L'âme respire mieux dans les grands espaces, au sommet d'une montagne comme au creux d'une page de texte. Je fais des rapprochements : toundra, haute montagne, absence de végétation, pureté des roches, air cristallin, lieu pour le cri, éblouissement pour l'esprit. Et légèreté. Légèreté.

Je songe à cette passe difficile de la montagne, hier, la seule vraiment dangereuse que nous ayons vécue. Quand j'ai avancé sous un encorbellement, près d'une masse de rochers gris, et que, sur quelques mètres, la moindre erreur, une mauvaise prise dans la neige, un dérapage auraient signifié une chute de plus de cent mètres, le corps abîmé tout en bas, j'ai pensé attendre Isabelle, lui donner la main peut-être. Mais elle pouvait réussir à passer là toute seule, j'avais confiance. Je me suis dit qu'à sa place je n'aurais pas aimé qu'on m'aide. J'ai poursuivi ma route. J'ai franchi un petit éboulis. Puis je me suis arrêté sur le replat. Il me fallait attendre, patienter. Je ne voyais rien de ce qui se déroulait plus bas. C'était le grand silence. Il n'y avait que le ciel qui attendait avec moi. Isabelle, toute seule, « fabriquait » sa route. Après quelques minutes, je me suis pourtant inquiété. Et si elle avait perdu pied, glissé ? Gisait-elle maintenant sur les rochers ? J'ai fait un pas dans sa direction. Elle est arrivée. Elle a simplement dit que c'était un peu stressant, cette passe-là. J'ai acquiescé. J'étais soulagé. Ma fille s'était tout de même trouvée dans une situation où j'aurais été responsable de sa chute, de ses blessures, de sa mort. Je n'ose redire ce mot.

Conflit père-aventurier… Le père voudrait sa fille toujours à l'abri de tout et de tous, dans une espèce de cocon. L'aventurier sait bien que sa fille doit bâtir son propre chemin, trouver sa propre voie. À seize ans, avec ses amies, je me doute qu'elle a vécu des moments tout aussi déterminants en forêt, peut-être encore plus fatidiques ou dangereux, mais qu'elle en a gardé le secret. Auprès de moi, Isabelle n'est parfois plus ma fille. Elle devient mon amie, une exploratrice. Lorsque nous marchons, c'est avec elle seule que j'exulte. Lorsque je suis allé la chercher, vendredi dernier, après un party organisé par des amies de son école, j'étais son père. Lorsqu'elle sera enceinte – je ne voudrais pas, mais surtout pas, qu'elle tombe enceinte sans l'avoir souhaité de toutes ses forces –, je serai son père. J'espère aussi être son ami.

Mais dois-je à ce point être son ami ? Est-on jamais l'ami de sa fille, de son fils ? À partir du moment où l'on devient père, la paternité gouverne-t-elle tout le reste de l'existence ? Qu'est-ce qui importe ? Quel rôle prédomine ? Celui de père, de compagnon de route, de camarade, de confident, d'ami ? Tout et rien. Les rôles n'ont qu'une importance relative. Montrer son amour à sa fille, c'est savoir se retirer et être patient, c'est savoir laisser vivre même si la vie de l'autre ne convient pas à nos espoirs, à nos certitudes, à nos préoccupations. Les paroles, les pensées sages, les conseils sont trop faciles à asséner. Être là tout en étant ailleurs, voilà le but. La liberté dépend de la qualité du lien tissé. L'amour nomade est aussi une nouaison.

24

Quittant Taupo, nous contournons de nouveau le lac Rotorua et sa ville touristique qui sent le soufre à plein nez, puis bifurquons vers Whakatane tout en longeant de beaux lacs oblongs : Rotoiti, Rotoehu, Rotoma. La fraîcheur des mots maoris fait plaisir à l'oreille. Une fois rendus à Whakatane, nous prenons quelques renseignements au sujet de la croisière que nous prévoyons faire le lendemain. Le temps est incertain. D'immenses cumulonimbus se forment à l'est. On ne saura vraiment qu'en soirée si le départ aura lieu pour Whakaari (White Island). Nous dressons la tente au camping d'Ohope, là même où nous nous trouvions deux semaines plus tôt. La mer tape mollement sur le rivage.

À l'aube, il fait un temps superbe. Les oiseaux causent le plus agréable des vacarmes. Conquis par la tiédeur du temps, je marche sur la plage avec Isabelle, qui est constamment à la recherche de coquillages nouveaux.

À Whakatane, nous sommes une trentaine à nous embarquer à bord d'un *cruiser* parfaitement astiqué. Il y là plusieurs Allemands, un Écossais, des Anglais de Londres, un couple de Hollandais, des Américains. Nous quittons le port vers neuf heures. Isabelle, vite incommodée par le mal de mer, s'étend sur un banc et ferme les yeux. Les vagues, puissantes, soulèvent le bateau comme s'il était un canot. Et ça swingue, ça roule, ça brasse et ça tangue ! Isabelle ne voit pas la dizaine de dauphins qui viennent rigoler dans la moustache d'étrave. Certaines houles font quasiment trois mètres de haut. Quand elle s'éveille, comme pour chasser la nausée, elle se remémore avec moi notre dernier voyage en Minganie, sur la Côte-Nord du Québec. Sur l'île Quarry, au soleil couchant, avec deux amies, elle avait pu voir une jubarte sauter à vingt mètres de la plage. Puis, pendant la nuit, un fort bruit de vagues nous avait tous réveillés. Il n'y avait pourtant pas la moindre brise. Dans une baie peu profonde, deux baleineaux s'amusaient à bondir dans les airs. Ils pirouettaient avec tant de bonheur qu'ils soulevaient la mer qui venait buter à quelques pas de nos tentes. Tempête de baleineaux en joie ! Il y a toujours de ces moments, plus privilégiés que d'autres, en voyage comme dans la vie quotidienne… J'écoute Isabelle. Le bateau roule de plus en plus. Je n'ai pas vraiment la nausée, mais… Les passagers ne parlent guère, ne se regardent pas, ne font surtout pas de blagues.

Le capitaine jette l'ancre dans une anse, seul lieu protégé de l'île, et fait mettre un Zodiac à l'eau. En quatre allers-retours, tout le monde est amené jusqu'à un petit quai désaffecté, devant les ruines en béton d'une ancienne usine. Tout autour, les parois des falaises, jaunes et orangées, rendent le paysage surréel. Le vent éloigne de nous les odeurs de soufre provenant du cratère. « Par chance ! » dit notre guide, jeune femme géologue qui nous explique comment utiliser le masque à gaz que nous portons autour du cou, si jamais le vent virait… On nous a aussi prêté des casques de travailleur. Isabelle n'apprécie pas beaucoup cela. Elle n'a pas pris la peine d'ajuster la courroie pour que son casque tienne bien en place. Je me doute qu'elle n'aime guère l'allure qu'elle a. Il n'y a que les vieux pères qui ne se soucient pas vraiment de leur apparence, et encore… Est-ce ici, l'enfer ? Je persiste à croire que non. Ce n'est pas le paradis non plus. Voici un lieu de suprêmes beautés. De gigantesques colonnes de fumée montent du fond du cratère, d'où le nom White Island. Cook lui-même aurait ainsi baptisé l'île en raison de son panache blanc permanent.

Nous nous avançons jusqu'au bord du cratère d'où l'on aperçoit un lac couleur lime, des bouillonnements magmatiques, des cheminées jaunâtres d'où sortent en sifflant des jets de vapeur. On se croirait dans une fonderie géante, espèce d'usine comme les humains aiment en inventer, avec tuyères phosphorescentes et coups de chaleur, bruits de chaudières monstrueuses et moteurs de Vulcain. Ce sont les dieux, ceux de la mer et du feu, qui s'amusent à créer les mondes qu'on dit « infernaux ». Les humains aiment bien reproduire leur idée de l'enfer avec leurs machines.

Six mois plus tôt, des centaines de milliers de petits cailloux sont tombés en tempête sur le sol fait de cendres tapées. La guide nous recommande de ne pas quitter le sentier. Nous cheminons dans un étroit canal où coule de l'eau de pluie ; sur la gauche, des monticules verdâtres signent la proximité du magma. Un marcheur imprudent s'y serait déjà engouffré ! On n'a retrouvé que les semelles de ses bottes. Ce n'est pourtant pas l'enfer, je continue à le penser, ce n'est que la Terre et ses bouillonnements originaux, le noyau de la planète qui s'exprime.

De retour au rivage, les oiseaux marins, des mouettes pour la plupart, nous survolent en grand nombre, apparemment tout à fait à l'aise dans leur environnement volcanique. Une colonie de dix mille oiseaux s'est installée sur l'une des pentes du cratère, sur le versant maritime. Avant 1976, une forêt couvrait cette pente. Il ne reste aujourd'hui que des milliers de troncs calcinés. À tout moment, le feu déborde du centre du volcan.

Dans l'usine en ruine, je songe aux travailleurs qui tentaient d'y gagner leur vie au début du siècle. On vendait alors le soufre comme fertilisant. L'entreprise n'a pas duré, à cause de la piètre qualité de la matière première, à cause du coût prohibitif du transport par mer mais, surtout, toujours selon notre guide, parce que les travailleurs s'ennuyaient ferme, dans un décor magique, certes, mais intensément tragique.

Après d'âpres combats contre la Nature, il vient un temps où chacun doit calmer ses rêves impossibles. Il est toujours utile de prendre quelques jours, sinon quelques mois, pour lire et écrire dans une maisonnette en paille, à l'ombre d'un *nikau*...

Nous rembarquons sur le bateau où l'on nous sert un repas chaud. Isabelle avale deux comprimés antinauséeux. Je m'endors. Une demi-heure plus tard, le bateau s'arrête pour que nous puissions observer un poisson-lune, immense, à la peau noire tachetée de blanc. Son aileron, pareil à celui d'un requin, bat au rythme des vagues. Ce poisson fait la longueur d'un petit rorqual. Un peu plus gros, un peu plus « poisson de légende », et il irait engloutir le volcan !

25

Au nord d'Auckland, le long de l'autoroute conduisant vers la pointe Reinga, là où, dans la mythologie maorie, les âmes des morts font une pause avant de voguer définitivement vers le Nord, nous ne trouvons que des emplacements pour *camping-cars.* À Waiwera, un panneau-réclame attire notre attention : « Source thermale ! Rabais sur les bains ! » Dans l'espoir de rafraîchir nos corps qui en ont bien besoin, nous plaçons notre tente entre deux roulottes et courons vers une espèce de « village des sports » pour grosses bedaines et blondes platine. Pour le plus grand plaisir de tous, dans un édifice à l'architecture « McDo », on présente sur écran géant *Les Jamaïcains en bobsleigh* ! Tout en visionnant de délirantes images de traîneaux de course sur fond d'hiver artificiel, nous pataugeons dans une eau saumâtre, baignés par la musique et les annonces de la station radio la plus « pop » des environs. Avec les nanas et les nounounes, le ti-Casse en vacances que je suis ne tolère pas quinze minutes.

Isabelle ne voit pas vraiment la raison de mon exaspération. Alors qu'elle prend tout son temps pour se reposer, son papa choisit d'aller se détendre sur son matelas de sol dans la ti-tente du ti-camping de Waiwera. On ne m'y reprendra plus !

Mais ce n'était qu'une halte. Le lendemain, nous atteignons la forêt de *kauris* géants de Waipoua, sur la côte ouest. Nous voulons voir le plus gros arbre de tous les bois et parcs de la Nouvelle-Zélande, le *Tane Mahuta*, avec son tronc de plus de cinq mètres de diamètre. Les *kauris* ne sont pas très grands, cinquante mètres en moyenne, mais quels troncs ! Jadis, les Maoris s'en servaient pour construire des pirogues qui pouvaient accommoder des dizaines de guerriers. Les Maoris ne se sont jamais considérés comme défaits dans les guerres contre les Européens. Voilà une différence qui m'apparaît majeure avec ce qui s'est passé en Amérique. Les Maoris, un peu comme cela se vit chez les Inuits, ont toujours accepté quiconque avait un brin de sang indigène dans les veines, ce qui a permis d'accroître leur groupe au lieu de le marginaliser par une politique du « sang pur ». Dès ses premiers contacts avec les Britanniques, la communauté maorie a souhaité une certaine alliance avec la marine anglaise, de manière à commercer de façon plus organisée avec le reste de la Polynésie, sur ses propres bateaux.

Face à l'ancêtre *Tane Mahuta*, nous faisons un brin de jasette avec une famille de Kiwis. La doyenne du groupe, accompagnée par son fils et ses deux petites-filles, nous offre de nous prendre en photo. Elle nous apprend qu'il existe un autre *kauri*, quelque part en forêt, âgé de trois mille ans celui-là, bien plus gigantesque que tout ce que nous pourrons admirer. Le service des parcs de Nouvelle-Zélande garderait jalousement le secret autour de cet arbre, histoire d'empêcher les touristes de piétiner ses racines fragiles, à fleur de terre.

Nous ne savions pas que les racines de *kauris* étaient si délicates. Avant d'approcher *Tane Mahuta*, nous sommes passés devant *Les quatre sœurs* et *L'arbre fantôme*, *kauris* tout aussi géants que le *Tane Mahuta* mais moins vénérables. Une petite clôture de perches délimitait le parcours du sentier. À un certain moment, j'ai demandé à Isabelle de l'enjamber pour se coller à l'un des troncs de manière à donner une meilleure idée de sa taille. Je voulais une photo-souvenir. Mais un Allemand nous a vertement engueulés, pas content du tout, raide comme une barre dans son sentier écologique. Nous sommes partis sans répondre, un peu secoués par sa rudesse. Avait-il envie de nous dénoncer à la garde-*kauri* locale ? Il avait probablement raison de se soucier des racines de *kauri*. J'imagine que des millions de touristes piétinant les environs, ce n'est pas sympathique pour l'avenir des ancêtres. Mais quelle singulière façon de semoncer les ignorants, le bras accusateur, le visage cramoisi…

Poursuivant notre route, nous gagnons les falaises sableuses d'Opononi, plus au Nord.

Devant l'entrée d'une longue baie, les vagues de la mer de Tasmanie se cassent sur les hauts-fonds. Les caps, la mer, le ciel limpide, les herbes odorantes, la chaleur, le bruit des insectes, tout est idyllique. Je sens le besoin de reparler avec Isabelle de notre dernière altercation, la deuxième du voyage, survenue deux jours plus tôt alors que nous repartions de Whakatane. Encore une fois, à cause des cartes et de l'orientation, il y a eu de la zizanie entre nous !

Isabelle prenait sa tâche de pilote un peu trop à la légère. Il faut dire que, ce matin-là, j'étais passablement fatigué. Au sud de Whakatane, nous nous sommes égarés dans les terres. Quand nous avons dû emprunter un pont à voie unique utilisé par les trains, j'ai réagi : « Mais aide-moi un peu ! » Évidemment, j'y allais avec trop d'emportement. Isabelle a commencé à me parler sur le même ton. Je me suis tu. Il y a eu un long silence. Plus de chants, plus de rires, plus de parlures. Isabelle a fini par s'endormir. Le cœur à l'envers, j'ai conduit sans aucun plaisir, sur une route encombrée de trafic lourd, jusqu'à Tauranga. Pendant que nous faisons notre épicerie, Isabelle s'est un peu déridée. La traversée de la mégalopole d'Auckland s'est effectuée de la façon la plus charmante, ma fille tout à fait attentive à chaque détail de la route ! J'ai encore pensé à quel point le succès de ce voyage ne dépendait pas tant de la beauté des paysages ou des oiseaux rencontrés que de la joie simple de côtoyer ma fille.

26

Nous nous arrêtons aux environs de Paihia, dans un camping situé au fond d'une baie digne des plus merveilleuses baies caraïbes. Rien qu'à voir les filets mis à sécher un peu partout, on sent que la pêche a gardé toute son importance dans la Bay of Islands. Et puis, il y a des voiliers, des milliers de voiliers petits et grands. Certains sont à l'ancre, d'autres alignés le long de pontons en bois dans des marinas entretenues avec soin.

Après avoir monté notre campement à moins d'un mètre de l'eau, nous nous baignons, puis savourons un excellent riz au poulet cuisiné par Isabelle. Si ma fille n'ajoutait pas son grain de sel à notre vie quotidienne, nous goûterions très souvent aux mêmes mets. J'achète des fruits, de la viande et des biscuits. Isabelle ajoute de la qualité à notre vie ! Et j'écris. Ma vie, l'exploration d'Aotearoa, ma fille, tout s'emmêle avec mes mots. Je ne pourrais être le père, l'homme ou l'ami que je veux être sans cette impression que le poétique doit m'entrer dans le corps, que je sois dans le Nord, sur une montagne, dans le ciel, en mer, en pays étranger ou dans le fond d'un ravin. La poésie, l'état poétique m'aident à jongler avec plusieurs des grandes tensions qui ne parviennent la plupart du temps que sous forme symbolique à ma conscience.

J'ai l'intuition que ma disponibilité à « croire » à certains symboles archétypiques, comme je crois en la synchronicité elle-même, invente ces mêmes symboles et permet l'émergence des phénomènes synchroniques. La réalité me paraît tout à fait dépendante de l'invention que j'en fais, de la même façon que cette réalité constitue le substrat même de ma psyché. Sans la foi dans les spins électroniques et les neutrinos auxquels ont tant rêvé certains physiciens comme Wolfgang Pauli, pas de mécanique des quantas, pas d'informatique. Tout cela peut paraître extraordinairement paradoxal, mais cela constitue les bases mêmes de la « conjunctio », immense pan de notre destinée collective, comme l'explique Carl Gustav Jung.

Domestiquer le langage qui me fabrique autant que je le manipule, juguler ses forces, c'est saisir un peu mieux ce que sont les champs de mon inconscient, ce que sont les mythes qui me propulsent. L'état poétique, comme la musique d'ailleurs, sert de lien entre les univers physique et psychique. La Terre, le monde, les forces naturelles sont là, autour de nous et en nous, accessibles et perceptibles aux sens, permettant de donner de la substance à des émotions qui, autrement, pourraient ne rester que virtuelles, déconnectées des forces chtoniennes. Toute la matière environnante, cette Nature qui forme l'être humain et le conditionne, s'appelle aussi « psyché ».

Au lever du jour, un oiseau chante fort et juste. Est-ce un *blackbird* (*Turdus merula*) qui produit ces sons de flûte, le même oiseau que celui dont parle la chanson des Beatles ? Lorsque je mets la tête dehors, j'aperçois un volatile tout noir qui porte sur la poitrine une touffe de plumes blanches ébouriffées. Un *tui* ! Il siffle pendant plus d'une demi-heure. J'écoute avec ravissement, sûr de n'avoir jamais rien entendu de pareil.

Deux jeunes Québécois déjeunent à quelques pas de nous. Quand ils nous entendent parler, ils nous saluent et se rapprochent. Ils viennent de terminer leurs études. À Montréal, ils se sont vu offrir plusieurs postes intéressants, mais ils voulaient rouler leur bosse avant de s'établir pour de bon. Ils pensent démarrer leur propre entreprise de ski nautique à Paihia. Au début, ils songeaient à vendre des jus de fruits aux passants, mais le ski nautique a, selon eux, beaucoup plus d'avenir ! En les quittant, Isabelle me souligne à quel point il est agréable d'entendre parler sa langue.

Nous redescendons vers Auckland. Dans une chambre de motel, non loin de l'aéroport, nous attendons l'arrivée imminente de mon amoureuse. Isabelle écoute des films. Moi, j'essaie d'écrire. J'ai une envie folle de revoir Anna, de la serrer dans mes bras, de l'embrasser, de lui faire l'amour. Demain, je laisserai ma fille au centre-ville. Elle le veut ainsi. Elle dit bien connaître ce coin d'Auckland pour y avoir vécu à notre arrivée. Moi, le fait de la savoir seule dans la Cité me préoccupe beaucoup. Abandonner ma fille aux bruits ambiants, aux éventuels rapaces, aux psychopathes…

Le matin, devenu particulièrement père poule, je lui donne de l'argent, lui rappelle le numéro de téléphone du motel, lui fais mille recommandations tout en lui disant que je la reprendrai au cours de l'après-midi, rue Queen, devant un petit café où nous avons déjà dîné. Je suis nerveux de la laisser seule dans cette grande ville. Pourtant, quand elle risquait sa peau sur les flancs du Ruapehu, je n'étais pas si nerveux. À un certain moment, Isabelle me propose de « prendre ça cool ». Quand elle me dit que je lui fais penser à sa mère, je me calme ! De toute évidence, elle est ravie de la liberté qui lui échoit.

Je fête mes retrouvailles avec Anna, laissant nos corps tout faire et défaire pendant des heures. Puis, repus, nous allons marcher sur Tamaki Drive, à l'est d'Auckland. Il fait un temps plutôt gris et venteux. Rien de bon pour flâner sur la plage. Mais devant un étal de fruits, nous sentons réapparaître tout le bonheur d'être ensemble, la main dans la main, à regarder les choses, à frôler les autres, sans parler. Je suis bien.

Quand je revois Isabelle au centre-ville, je me dis que tout a été parfait, les horaires, la conduite automobile dans Auckland la grouillante, les retrouvailles avec mon amoureuse. Seule l'attente infiniment longue à l'aéroport a été pénible, alors que les passagers passent les barrières au compte-gouttes, surveillés par des douaniers aux mines patibulaires. Je n'aime pas ces attentes, trop loin des forces maritimes ou terrestres. C'est humain, seulement humain, trop humain. Anna avait eu peur qu'un de ses sacs n'arrive pas. On l'avait égaré à Toronto. Mais, par la magie d'un quelconque farfadet, il a atterri avec elle.

Isabelle a passé une journée superbe. Fière de saluer le drapeau québécois qui flottait au-dessus des chapiteaux du Cirque du Soleil, dans le port, elle a appris qu'on allait bientôt y présenter le spectacle *Alegria*. Elle a croisé des touristes qui portaient des sacs à dos canadiens. Mais ils étaient Américains ! Ils ont jasé « un p'tit bout de temps », mais pas de Jos Montferrand. Puis elle s'est acheté des vêtements dans une friperie, pensant à ses amies, leur choisissant plein de petits cadeaux.

Anna, elle, a déjà beaucoup rêvé son voyage. Une amie lui a parlé d'une plage où l'on joue à s'enliser dans du sable chauffé par des sources thermales, du côté ouest de la péninsule de Coromandel, face au Pacifique. Cette plage ne se trouvant qu'à une centaine de kilomètres d'Auckland, nous décidons de nous y rendre aujourd'hui même !

Sur la plage de Hahei, Anna s'exclame devant la beauté de chaque plante nouvelle. Elle est ravie par la qualité des chants d'oiseau, par la belle chaleur qui y règne. Partie du plein hiver québécois, elle soupe en maillot de bain ! Je suis heureux de l'entendre comparer la côte de Coromandel avec la Jamaïque, pays qu'elle aime plus que tout autre. Moi, je suis vanné. Est-ce le manque de sommeil, la conduite automobile dans des chemins de montagne où les camions occupaient les trois quarts de la place ? Je me couche tôt. Isabelle monte sa tente tout près de la nôtre. Alors que je veux lui souhaiter bonne nuit, je m'aperçois qu'elle n'est pas là. Partie aux toilettes ? sur la plage ? Anna vient me rejoindre. Vers vingt-deux heures, une voix nous demande si nous sommes là, dans la tente. Je réponds : « Bien sûr ! » Isabelle avoue nous avoir cherchés. Pendant un moment, elle a même cru que nous avions déguerpi sans elle. Disparus ?

Scénario de roman : où est mon père ? Caché avec sa blonde ? Noyé dans le Pacifique ? Je prends le volant, je conduis sans permis, je pars à leur recherche. Ils sont bien quelque part. Mais où ? Je file dans l'île du Sud. Puis je traverse en Australie. Mais comment trouver de l'argent ? Ah, la carte de crédit de mon père. Mais le numéro de code ? Comment retirer des sous ? Il y a toujours un bon Dieu pour les aventurières. Je rencontre un beau gars qui m'apprend à piloter un hélicoptère. Deux ans plus tard, je retrouve finalement le paternel, installé à Derby, sur la côte ouest de l'Australie. Il n'a pas donné signe de vie ! Je le griffe ou je l'embrasse ? C'est quoi, ces histoires d'amoureuses qui viennent troubler le parfait duo père-fille ? Tu choisis quoi, le père ? La vie avec ta fille ou la vie avec ta blonde ?

Réponse : les deux, mon amour !

27

Tout au long de la côte de Coromandel, nous découvrons des plages dignes d'être répertoriées, cataloguées parmi les chefs-d'œuvre d'Aotearoa. À partir d'un cap révélant un chapelet d'îles d'origine volcanique, nous empruntons un sentier à flanc de montagne. Grisés par les effluves de petits arbustes appelés *manukas*, nous pénétrons à marée basse à l'intérieur d'une immense caverne creusée dans le roc qui débouche, cinquante mètres plus loin, sur un paysage de paradis. Il y a de cela des millions d'années, la mer a ici modelé le ventre des falaises. Sur une plage de sable rose, les vagues se font juste assez fortes pour que nous puissions surfer dessus. Propulsés vers le rivage les bras devant, du sable plein les caleçons et du sel dans les yeux, nous nous laissons masser par l'océan, comme des enfants, des heures durant.

De retour à Hahei, j'aperçois un Maori tatoué des pieds à la tête qui semble attendre. Son visage est tellement couvert de dessins et d'arabesques qu'on cherche instinctivement à voir des zones laissées intactes. Dans sa main droite, il tient un verre de je ne sais quoi. Debout à la devanture d'un magasin, immobile, il reste là, sans parler, protégé par des verres fumés. Il porte des rastas, très longues, qui lui descendent jusqu'aux fesses. On dirait un Jamaïcain. Sa camisole est trouée. Vêtu d'un simple pantalon de course, il est pieds nus. Les Kiwis ont la manie de se promener pieds nus, sur l'asphalte des stationnements comme sur les trottoirs des villes, même quand il gèle. C'est tout à fait curieux, mais fort sympathique ! Le Maori ne sourit pas. À quoi pense-t-il ? A-t-il un emploi ? des enfants ? Je dirais qu'il a entre quarante et cinquante ans.

Tout à coup, je me sens écartelé entre deux mondes totalement différents : celui des Maoris et celui des Occidentaux. Je me dis que jamais je ne me peindrai le visage. Je ne porterai jamais de rastas non plus. Toujours, je refuserai de me laisser tatouer le menton, le front ou les fesses. Fils d'une beluaise du Saguenay et d'un père d'origine irlandaise, je me dis qu'habituellement, chez nous, on ne se tatoue pas le corps. J'ai beaucoup aimé aller à l'école dans ma vie. J'y ai reçu une formation qui m'a permis de devenir médecin, entre autres. J'aurais pu choisir un autre « manteau » social. Mais est-ce qu'on choisit vraiment quand on a vingt ans et qu'on aboutit tout à coup à la première croisée des chemins vraiment importante ? Oui, en partie du moins. Certains choix restent pourtant moins lucides que d'autres. Prête à entrer au cégep l'année prochaine, Isabelle devra faire des choix qui ne sont pas simples. Quel métier, quelle profession, quelle vie lui permettra de s'insérer sans trop de heurts dans l'univers social ? Quel est le chemin d'existence qu'elle doit prendre ? Serai-je de quelque utilité dans ce choix ou ne serai-je pas plutôt un poids supplémentaire sur ses épaules ? La pesanteur de la « voix paternelle », qu'elle soit celle du père réel ou du « père » social, n'est jamais négligeable... Je sais que la musique passionne ma fille. Quand elle parle de s'orienter vers la biologie, ne choisit-elle pas cette activité en fonction de la voix du père ? Jusqu'à aujourd'hui, j'ai surtout gagné ma vie en soignant les autres. J'ai répondu à ce qu'on attendait de moi. Être soignant n'a jamais été facile pour moi. J'accepte d'avoir une certaine utilité pour les autres, mais dans l'itinérance. Voilà peut-être pourquoi je ne marche pas la tête haute en me demandant ce que peuvent fabriquer les itinérants que je croise sur ma route. À certains points de vue, je leur ressemble.

Ma voiture de bohémien déborde de colifichets et de pierres sculptées par la mer. De chemins et de cimes kiwies, je rêve ! Pour la première fois de ma vie, je regrette d'avoir mon âge. Je n'atteindrai jamais le sommet du mont Cook. Trop ardu. Trop de difficultés techniques. Peut-être qu'un autre sommet, dans un autre pays...

les Alpes françaises… le mont Blanc… Oui ! Je pourrais le faire, même ces années-ci. Et si je me fixais comme prochain objectif d'atteindre le sommet du mont Blanc ?

28

Cette aventure représente une façon de recoudre ma courtepointe familiale, si essentielle à mon bonheur. Ma souffrance d'homme séparé m'a conduit à vouloir offrir à ma fille ma plus grande présence, celle de père et d'homme qui avait besoin de savoir qui est cette jeune femme, la chair de ma chair, et pourtant jeune femme parfaitement autonome. Lorsque notre aventure commune prendra fin, j'aurai la satisfaction de m'être rendu au bout de mon rêve, jusqu'à un certain bout du moins. Et dans cette reconstitution temporaire de ma vie familiale, je me suis associé à la vie de deux femmes. Pour l'instant, tout se passe avec bonheur. Je suis un homme comblé, entouré de deux êtres forts avec lesquels je partage mes découvertes d'Aotearoa. Nous nous gavons de la plus magnifique des itinérances, bien que les voyages à trois dans une si petite auto avec autant de bagages comporte certaines difficultés. Chaque jour, nous devons charger le maximum de matériel sur le toit de l'auto en liant le tout dans une bâche de plastique.

À partir de Wellington, la capitale située au sud de l'île du Nord, nous franchissons le détroit de Cook pour nous retrouver dans une espèce de moyen Nord de la Nouvelle-Zélande : l'île du Sud ! De là, il nous faut deux bonnes heures pour arriver au camping de la baie du Portage, devant Kenepuru Sound, cinquante kilomètres à l'est de Picton, après avoir louvoyé sur une route incroyablement étroite, comme d'habitude sans garde-fous.

Il fait chaud. Je lis dans la tente pendant qu'Anna essaie de joindre ses enfants au téléphone à partir de l'hôtel local, de l'autre côté de la baie. Je termine *La preuve*, d'Agota Kristof. L'histoire se déroule dans un pays de l'Est dominé par les forces soviétiques, après la Deuxième Guerre mondiale. Cette lecture me permet de prendre conscience qu'on oublie souvent que les autres ont pu souffrir de blessures bien plus sévères que toutes celles qu'on vivra soi-même. On oublie. Il est si facile d'oublier la souffrance, celle d'autrui particulièrement. Les livres servent, entre autre choses, à ne pas oublier, ou à moins oublier. La semaine passée, Isabelle a lu ce roman dans lequel la crudité de certaines scènes, la cruauté de certains passages me laissent perplexe. Elle a beaucoup apprécié sa lecture. Je me rends compte que, si je l'avais lu avant elle, j'aurais eu envie de lui imposer une certaine censure. Mais à seize ans, qui a besoin de censure ? De quelques conseils, certes, d'une direction générale pour ne pas s'égarer… Mais de censure ? Curieuse réaction de ma part. L'efficacité d'un roman dépend du style, du ton, du langage qui n'ont pas à subir la censure. D'innombrables corrections grammaticales, certes, mais pas de censure. Ma réaction est-elle liée au fait que je suis tout le temps avec Isabelle, la considérant parfois comme une « petite fille » ?

Assise sur une bûche devant la plage, elle joue de la clarinette. La marée baisse. Ce soir, nous irons cueillir ce qu'il nous faut pour souper. Le gardien du camping, cordial, nous a recommandé les huîtres accrochées aux roches, sur le bout de la pointe. De vraies délices, apparemment.

Isabelle n'avait pas sorti sa clarinette de sa boîte depuis deux semaines. Un jeune gars en motomarine, peut-être aguiché par la beauté de sa musique, vient faire des ronds dans l'eau devant le camping. Tout à coup, il s'arrête et invite Isabelle à faire un tour de ski nautique. Elle ne dit pas oui. Il repart, véritable mouche dessinant mille courbes sur le turquoise de la baie. Un peu plus tard, je dis à Isabelle que c'était super, cette invitation ! Elle rétorque que ce genre de gars ne lui convient pas : trop « flasheux » !

29

Des bruits suspects réveillent Isabelle pendant la nuit. Des pas… Une bête ! On renifle à côté de la tente… Elle arrive en courant : « Papa ! Tu viendrais voir ? » Je me rappelle mes propres peurs. J'avais quinze ans. J'étais parti en camping avec un ami. Une nuit, alors que nous avions laissé des détritus autour de la tente, deux ratons laveurs avaient osé mettre leur tête aux grands yeux luminescents dans l'entrebâillement de la porte. En hurlant, nous avions tout arraché, toile, cordages, piquets, courant nous réfugier dans un cabanon voisin qui empestait l'essence.

À l'aide d'une lampe de poche, j'inspecte les environs du campement d'Isabelle. Rien. Je lui suggère de venir dormir dans notre tente, ce qu'elle accepte avec joie. Au matin, nous découvrons plusieurs petites crottes d'animal autour de la table à pique-nique et devant sa tente. Des opossums ? Isabelle pense qu'il s'agit peut-être d'un kiwi. « Un ours polaire, tant qu'à faire ! » Elle me tire la langue et s'en va jouer de la clarinette sur la plage.

Au milieu de l'avant-midi, nous quittons le Portage pour emprunter l'une des nombreuses pistes sillonnant les collines de l'archipel de la reine Charlotte. Le soleil cogne vite, quasi « tropicalement ». Nous grimpons jusqu'à sept cents mètres au-dessus du niveau de la mer, traversant des buissons couverts de fleurs fuchsia en forme de clochettes renversées. Parfois, nous passons sous le couvert de petits arbres, heureux d'avoir de l'ombre. L'arête sur laquelle nous avançons nous permet de voir de chaque côté les coulées de fjords majestueux. Les oiseaux, excités par le beau temps, peut-être par notre présence aussi, chantent comme des fous. Nous identifions un *piwakawaka* (fantail ; *Rhipidura fuliginosa placabilis*), un habitué de l'Australie et de plusieurs îles du Pacifique qui possède une large queue dont il déploie les plumes blanches dès qu'il finit par s'arrêter quelque part. Mais le *piwakawaka* ne produit qu'un *cheet* un peu simplet. Curieux comme les plus éclatants des oiseaux semblent épuiser toute leur beauté dans leur plumage.

Nous traversons ensuite une forêt de *tawhaieaunui* (*southern beeches*) dont les arbres portent toute l'année des feuilles étrangement semblables à celles du peuplier faux tremble, bien que plus petites. Le sol en est couvert. Leurs troncs sont tout noirs, comme brûlés. Un peu plus de quatre heures après notre départ, nous parvenons à l'endroit même où nous avons fait halte la veille, au fond de la baie Mistletoe. Mon amoureuse est aux oiseaux. Nous mangeons sur un petit quai. Le soleil plombe. Je songe aux fraîcheurs du Grand Nord. Encouragé par les deux filles qui se baignent en criant comme des folles et en me traitant de « petit baigneur », je plonge à mon tour, malgré les détestables méduses bleues qui flottent un peu partout. Bien vite, je retrouve une humeur plus vitaliste. Je fais de grands moulinets avec mes bras dans l'espoir d'éloigner les méduses. Ma hantise, c'est que la plus *crasse* d'entre elles vienne se plaquer entre mes jambes.

De retour de notre randonnée, nous allons boire une bière à l'hôtel du Portage. Qu'est-ce que cette vie d'errance et de tente à suer, d'odeurs et d'aisselles gluantes, de repas à l'ombre des *pongas* et de cueillettes d'huîtres collées aux rochers des lagunes ? Pourquoi ces dos raidis par la dureté de la terre ? De l'itinérance pure et dure ? Du camping sauvage ? Nous sautons tous les trois dans la piscine d'eau douce de l'hôtel, puis, d'un commun accord, décidons que, cette nuit, nous nous paierons un lit douillet à l'hôtel. Même les nomades ont besoin de repos, de cajoleries, de draps propres, de douceurs, de gâteries. On s'encabane, on prend le temps de laver ses chaussettes qui commençaient à puer, on se douche deux fois plutôt qu'une, on frotte partout, on fleure bon, on trouve trois heures d'affilée pour terminer la lecture d'un petit roman, et puis, frais et dispos, on se sent tout à fait prêt pour un nouveau départ !

30

Une ligne de chemin de fer passe à moins de cent mètres du camping de Kaikoura. Camping et chemin de fer se trouvent en quelque sorte amalgamés au décor, seulement séparés par une autoroute. L'océan frôle constamment la montagne dans ces parages. Il y a en plus un aéroport à deux cents mètres au nord du camping. Par temps clair, toutes les quinze minutes, de petits avions s'envolent avec des touristes pour leur permettre d'observer d'en haut les cachalots. Du simple hameau de pêcheurs qu'il était, Kaikoura est devenu *big* complexe touristico-baleinier avec milliers de visiteurs cordés les uns sur les autres, en ville, dans des tentes et dans des *camping-cars.* Pour dénicher un terrain moins surpeuplé, nous avons dû sortir du village et faire une dizaine de kilomètres vers le sud. Cent fois réveillé par le hurlement des camions et le tintamarre des trains pendant la nuit, je tempêtais. Anna avait eu la sagesse de se protéger les oreilles avec des bouchons. Quant à

Isabelle, elle a mieux dormi. Mais il est vrai qu'elle avait ingurgité deux comprimés d'antihistaminique, n'en pouvant plus de se gratter les jambes, piquée par des *sandfly* lors de notre passage dans l'archipel de la reine Charlotte.

Hier, nous avons réservé nos places pour une croisière aux cachalots. Ce matin, le brouillard couvre le littoral. Tout est donc reporté à plus tard. Sonnée par les médicaments, Isabelle se recouche. Avec Anna, je vais me promener à la pointe de Kaikoura. Nous ne sommes pas seuls à déambuler dans le pays couvert de brume ; des dizaines de moutons nous accompagnent. Du haut des falaises, tout me fait curieusement penser à la Minganie. Mêmes roches calcaires, même air iodé, même blanc d'écume au pied des caps, mêmes cris d'oiseaux, même temps frisquet. Une fois redescendus près de l'eau, nous sautons de rocher en rocher pour contourner la pointe. Devant nous, tout à coup, plonge un gros loup-marin. Il se séchait sur une pierre plate. Un autre émerge et prend sa place. Une importante colonie d'otaries à fourrure vit à longueur d'année sur la pointe de Kaikoura. Il est possible d'approcher ces bêtes au point qu'on pourrait les toucher. J'imagine que sur la Côte-Nord, un jour, en Minganie, dans le Bas-du-Fleuve ou en Gaspésie, les loups-marins se laisseront pareillement amadouer.

L'otarie nouvellement arrivée s'étire, prend ses aises et nous dévisage avec un drôle d'air, comme si elle voulait connaître nos intentions. Des lanceurs de cailloux ? Elle gronde un peu. Soudain, il me vient l'idée d'aller la chevaucher pour qu'elle plonge et m'entraîne au pays des langoustes, des calmars géants et des cachalots. La mer monte. Je fais un bond pour sauter sur le bord de la pierre où elle s'est traînée. L'otarie me renifle en grognonnant. Je la prends en photo. Tout à coup, j'entends Anna crier. Alors qu'elle longeait la falaise, elle a failli mettre le pied sur la tête d'une grosse otarie qui somnolait entre la paroi et les vagues. La bête n'a pas aimé cela, mais pas aimé du tout. Elle grogne comme un ours, montre de longs crocs jaunes tout en sautillant sur ses nageoires pectorales. Méchante ? La main sur le cœur, Anna compte ses respirations. Je m'efforce de ne pas rire, jusqu'à ce que l'otarie se mette à ricaner, sans se retenir…

31

Le brouillard s'étant dissipé au début de l'après-midi, les capitaines embarquent des armadas de touristes venus d'un peu partout dans le monde pour observer les cachalots. La réputation de Kaikoura dépend de ses cachalots mâles, géants de quinze mètres qui se nourrissent pendant l'été à quelques milles du rivage alors que les femelles vont se prélasser ailleurs, sous d'autres latitudes.

Accompagnés par trente-deux autres amateurs de cétacés, Isabelle et moi montons dans une espèce de grand Zodiac. Personne ne se doute que l'exploit, ce jour-là, consistera à combattre le mal de mer. Anna a décidé de ne pas se joindre à nous, car elle préfère flâner dans Kaikoura. Isabelle rêve de voir de ses yeux un cachalot géant. Des baleines à bosse, des petits rorquals, des dauphins, des marsouins, des bélugas, même des baleines bleues, elle en a observé. Mais des cachalots, jamais !

Assis en rang d'oignons sur des banquettes rigides, empêtrés dans de gros gilets de sauvetage jaune serin qu'on nous a obligés à enfiler, nous endurons les rudoiements de la mer. Le bateau roule beaucoup. Mais d'où provient donc cette forte houle ? A-t-il venté à ce point dans le grand large pendant la nuit ? Un homme d'origine chinoise se met tout à coup à vomir dans un sac de papier en produisant de grands bruits de baleinier. Une forte odeur de bile se répand autour de lui. Le capitaine stoppe les moteurs. Un second Zodiac tout aussi chargé de touristes nous rejoint. Un matelot descend à l'eau un appareil qui a tout l'air d'un sonar, afin de localiser les sons émis par d'éventuels odontocètes. Quelques instants plus tard, le capitaine annonce qu'il y a bel et bien un cachalot en remontée. Bientôt, nous allons voir la bête. Tout le monde sourit de contentement, les matelots autant que les touristes. Comme de fait, le cachalot apparaît, tout noir, pas si énorme que ça. De toute évidence, il cherchait son air. Il se stabilise en surface, comme s'il se préparait à une sieste. On dirait la barque du vieux François, renversée après une tempête, la quille noire, l'étambot bien visibles au ras des flots. Personne n'a jamais retrouvé le corps du pêcheur de l'île à Firmin, en Minganie, parti jigger la morue par un soir de grand vent.

Je monte sur le pont supérieur pour prendre quelques photos. Isabelle, restée en bas, ne se lasse pas d'admirer. Ses sourires m'encouragent. Jamais je ne serais monté seul dans un tel bateau pour touristes. Après avoir projeté de côté un dernier jet de vapeur – Isabelle m'explique que les cachalots lancent toujours leur jet de façon oblique, ce qui les distingue des autres cétacés –, il replonge en soulevant dans les airs son formidable appendice caudal.

Les touristes en veulent plus. Ils ont payé cher leur place. Le capitaine remet les moteurs en marche. Isabelle ferme les yeux pour mieux se protéger du mal de mer. La plupart des passagers pâlissent. On suce des bonbons à qui mieux mieux, on bâille, on mâche de la gomme. Des albatros font la course avec le bateau propulsé par trois moteurs de deux cent vingt-cinq forces. Je pense au poème *L'albatros*, de Charles Baudelaire. Je pense au capitaine Achab, dans *Moby Dick*, dont la jambe fut arrachée par un cachalot moins pantouflard que celui que nous avons croisé. Je pense à Rimbaud qui connaissait parfaitement la mer, l'abyssale comme la circumterrestre, sans jamais y avoir navigué, peut-être parce qu'il était voyant, parce qu'il a vu de la mer ce que les marins les plus aguerris ne verront jamais, pas même le capitaine Achab, ni sous forme de beau rêve ni sous forme de cauchemar. Je me rappelle une visite en famille à Cape Cod, alors qu'Isabelle avait cinq ans. Depuis ma lecture du roman de Melville, je rêvais de marcher sur l'île de Nantucket d'où était partie la baleinière du capitaine Achab. Je mêle toujours tout, littérature, sorties en mer, rêveries éveillées, voyages antipodiens et grands albatros folâtres qui aiment planer entre les houles en bravant les embarcations.

Quand nous faisons halte, enfin, trois personnes se sont endormies sur un banc, juste derrière moi. Le matelot redescend le sonar à l'eau. Le capitaine annonce alors qu'on entend distinctement les cliquetis de deux cachalots. Hourra ! Mais quand donc vont-ils refaire surface ? Difficile de le savoir avec précision. Deux bateaux s'approchent. Isabelle me demande si j'ai mal au cœur. Je fais non de la tête. « Est-ce qu'il y avait autant de houle pendant ta traversée de l'Atlantique en voilier ? » Je réponds que c'était bien pire. J'ai vécu le grand mal de mer dans le golfe du Saint-Laurent, entre Rivière-au-Renard et l'île française de Saint-Pierre, puis au centre de l'Atlantique Nord pendant une pleine journée, alors que les vents atteignaient la force sept. Isabelle s'interroge sur les raisons qui font que des gens aiment avoir mal. Passer tout un mois sur une coquille de noix au milieu de l'Atlantique, n'est-ce pas un peu masochiste ? J'ai envie de répondre que la souffrance fait partie de la condition humaine et que, parfois, elle donne du sens à l'existence. Mais l'heure n'est pas aux discussions philosophiques. Isabelle songeait sérieusement, avant le présent voyage, à entreprendre des études en biologie marine. Elle me confie que, maintenant, elle remet en question cette idée qui, pourtant, lui trottait dans la tête depuis des années.

Un premier cachalot crache soudain un long jet d'écume dans les airs. Les bateaux voisins accourent. Ils me font penser à des voleurs de talles de fraises. Le cachalot replonge tout de suite. La seconde baleine surgit peu de temps après, mais ne reste visible que trente secondes, pour le plus grand plaisir de ceux et celles qui ont vraiment trop la nausée. La sortie en mer a assez duré. Le capitaine décide qu'il est temps de rentrer au port. Les cachalots, eux, en plongée dans les profondeurs de Kaikoura, vont s'empiffrer de calmars. Une flopée de cormorans file au large. Des pétrels font des tonneaux entre le ciel et l'eau. Le grand cercle noir laissé par le coup de « sonde » du dernier cachalot prend du temps à se fondre au bleu de la mer.

Le pauvre Chinois qui n'a pas cessé de vomir ressemble à un moribond. Sa femme, toute pâle, dit qu'elle est navrée. Un grand vide s'est créé autour d'eux. Le capitaine fait bondir son Zodiac vers la côte, les moteurs poussés à fond. On se croirait dans un manège de foire. Les sommets enneigés, en arrière-scène, illuminés par le soleil couchant font que je ne regrette rien de ma sortie. À plusieurs reprises, Isabelle me dit qu'elle est contente, très contente.

32

Dans la plaine de Christchurch, il vente à écorner les opossums, certaines rafales frisant les quatre-vingt-cinq kilomètres à l'heure. À cause de tout le bagage ficelé sur le toit, la bagnole est fortement secouée. En vue du col d'Arthur's Pass, dans la vallée de la rivière Bailey (*Waimakariri*), le temps vire au gris-brun. Quelques familles seulement acceptent de vivre à longueur d'année autour d'Arthur's Pass, probablement à cause des pluies trop fréquentes dans cette région des Alpes kiwies. Les nuages de la côte ouest, poussés par les vents dominants au-dessus de la mer de Tasmanie, éclatent régulièrement sur les crêtes, entre deux mille six cents et deux mille huit cents mètres. Comme il n'y a que deux ou trois emplacements disponibles pour nos tentes, mais tous situés à quelques pas de la voie ferrée, nous choisissons de nous abriter dans un *back-packer hostel*: tout le confort, avec feu de foyer et cuisinette.

Malgré une pluie froide et un ciel ténébreux, je me lève, totalement attiré par la montagne. Sur les sommets comme dans les déserts, il existe une joie particulière que j'appellerais celle du randonneur, créée par le contact qui s'établit entre l'âme personnelle et l'Âme du monde. J'ai envie de paysage alpin. Dans les environs, nous avons le choix entre deux pistes : la première, qui part juste derrière le village, grimpe de mille mètres avant de faire une boucle : six ou sept heures de marche avec vue imprenable sur les cimes ! La deuxième, plus courte mais plus abrupte, commence de l'autre côté du col, à une dizaine de kilomètres plus à l'ouest. Vue tout aussi imprenable !

Isabelle trépigne d'impatience. Tout autant que moi, elle souhaite monter. Depuis le Ruapehu, elle a la piqûre. Mais Anna se montre plus nerveuse. Avec cette pluie et ces forts vents, il est un peu fou de tenter une escalade, à son avis. Une large masse de nuages couvre « la passe d'Arthur », nommée ainsi en l'honneur d'Arthur Dobson, découvreur officiel d'un endroit pourtant connu des Maoris depuis très longtemps. À la radio, on annonce des vents violents en altitude. Nous n'allons donc aborder ni l'une ni l'autre des pistes qui s'offrent à nous. Le Kiwi qui nous loge nous apprend que, par un temps pareil, il n'y a qu'à retourner dix kilomètres plus à l'est afin de retrouver le soleil, tout simplement.

Dans la vallée de la rivière Waikamariri, le soleil achève d'effacer les quelques bancs de nuages qui ont franchi la chaîne de montagnes pendant la nuit. Le ciel va se dégager complètement. Nous abordons la piste en chantant. Isabelle, à l'avant, force la cadence. La veille, elle a eu ce qu'elle considère comme une mauvaise journée. Tabassée par la chaleur qui régnait dans la plaine de Christchurch, assise à l'arrière de l'auto entre les sacs, elle a somnolé pendant une grande partie du voyage, incapable de s'occuper des choses courantes. Aujourd'hui, elle est tout feu tout flamme. Nous franchissons d'odorants boisés de *beeches*. Une Flamande, marcheuse solitaire, nous rejoint. De toute évidence, elle ne souhaite aucunement être seule aujourd'hui. Au fond de la vallée, la rivière Waikamariri suit de larges sinusoïdes inventées par les coups d'eau de la fonte des neiges.

Sur le coup de midi, nous atteignons un refuge, fruste cabane au toit de tôle. Fin du trajet ? Peut-être pas. Deux collines montrent leur dos droit devant. Une forêt d'arbres nains nous sépare du sommet. J'ai le diable au corps. Anna et Isabelle, assises dans l'herbe, sortent la nourriture des sacs. Nous mangeons. J'aimerais parvenir au sommet. Anna n'est pas très chaude à l'idée. Isabelle non plus, ajoutant qu'il n'y a pas d'indications visibles, que je vais m'égarer, que nous n'avons même pas de cartes détaillées de la région. Je demande à la Flamande si elle veut venir. Volontiers ! J'avertis que je serai de retour dans une heure, peut-être deux. Isabelle rétorque qu'elle a les clefs de l'auto. Si je ne reviens pas, elle saura se débrouiller. Avec Anna, elles quitteront ce piège dans lequel le père a péri. Ironique, la fille…

Faut-il être fou pour me suivre ? Suis-je capable de continuer à me suivre moi-même ? Je reconnais souvent deux personnes en moi. Entre un moi qui veut et un autre qui peut, un moi qui rêve et un autre qui fait, un moi qui souhaite et un autre qui agit, un moi sage et un moi fou, un moi patient et un moi sauvage, je me trouve à tout moment en état de division. Tout nomade dans l'âme se voit un jour ou l'autre confronté à sa raison, à une fonction intellectuelle très liée à la culture ambiante contemporaine, culture sédentariste et rationaliste, qui lui rappelle qu'il est bon de s'arrêter, de planter des choux, de s'occuper de ses petits qui ont faim, tandis que d'un autre côté, du tréfonds de son inconscient, par bouffées, par pulsions, venant crever telles des bulles, arrivent à la surface de sa vie des avis de départ, d'expédition, de courses libres dans les forêts ou les déserts, dans le Grand Nord ou dans le Grand Sud, au sommet des montagnes comme dans les abysses les plus obscurs.

Nous traversons une forêt d'arbres nains dont les troncs sont couverts de filets de mousses vert tendre. Je redeviens un hobbit, un troll, un elfe de la montagne. Rapidement, nous découvrons une sente discrète qui longe un gouffre aux rocs brun-rouge. Nous croisons trois randonneurs en train de redescendre du sommet. Le refuge, en bas, a l'air d'une maison de poupée. Isabelle et Anna, allongées dans l'herbe, semblent placoter. Minuscules, j'arrive tout de même à les voir. Sur le faîte de la première colline, la Flamande s'arrête. Elle n'ira pas plus haut. Je la laisse pour atteindre le pic le plus élevé. Le sentier continue, mais sans monter en altitude. J'aurais encore la possibilité de marcher pendant des heures, toute la nuit, puis de revenir dans la vallée par un autre sentier. Une crevasse, sur la gauche, doit faire dans les six ou sept cents mètres. Crémeuses, les Alpes kiwies s'étalent à l'infini.

Un jour ou l'autre, on sort des sentiers battus, on s'égare un peu, on se retrouve dans un bosquet de *scottish broom*, on regarde vers le ciel, on atteint une première crête, la végétation change, ce n'est plus le monde habituel, quelque chose est arrivé, comme si la vie réelle s'était transformée en vie rêvée. Au bout du monde et de soi-même, on crie de joie, on voudrait que les autres soient à nos côtés, même les inconnus, on voudrait que tous partagent cette dernière mission accomplie. Est-ce cela, l'outre-vie ?

Je redescends la montagne. Assise dans les fleurs, la Flamande m'attendait, sagement. Puis nous retrouvons les deux filles au refuge. Elles ont beaucoup discuté. Un jour ou l'autre, j'espérais qu'elles auraient le temps de faire plus ample connaissance. Quoi donc pourrait me rendre plus parfaitement heureux aujourd'hui ? Ma fille et mon amoureuse se sont parlé comme des copines. Je ne sais trop ce qu'elles ont pu se dire. Il m'importe peu de le savoir. Que du simple respect – elles se connaissaient très peu –, elles aient pu passer à l'amitié, ou à une certaine amitié, me ravit.

Ces deux femmes se respectent. Elles ne deviendront peut-être pas des amies inséparables, la connivence « obligée » qu'elles vivent actuellement, en ma présence, ne se perpétuera peut-être pas. Mais moi, entre deux adultes qui ont accepté de vivre l'aventure en ma compagnie, j'apprécie infiniment leurs attentions mutuelles, leurs regards complices parfois. Le pire, ç'aurait été qu'elles ne s'entendent pas. Le voyage, alors, aurait pu se métamorphoser en enfer, puis en souvenir amer. Aucun paysage magnifique, aucune situation naturelle, même édénique, n'empêche les humains de pouvoir se détester tout à coup. Mais jusqu'à maintenant, c'est tout le contraire. Ces deux femmes m'enchantent. Je chante.

33

Je viens d'achever la lecture de *La chute*, d'Albert Camus. J'aime cet écrivain, la justesse de sa pensée, son humanisme décapant. Je me suis procuré son bouquin – en français ! – dans une petite librairie de livres usagés, à Kaikoura. Anna avait déniché la boutique en se promenant en ville. Nous avons longuement échangé avec le couple de libraires, un petit homme au nez rouge et une grande femme qui tançait constamment son mari à propos de tout. En les écoutant, je me suis demandé s'ils n'étaient pas en état de perpétuel guerroiement. Ils ont pourtant été gentils à notre égard. Anna cherchait des livres d'une auteure maorie qu'elle venait de découvrir, Keri Hulme, et dont le texte le plus connu, *Bone People*, constitue une implacable description de la vie d'un enfant pauvre maori. Les libraires la connaissaient bien. Nous avons appris qu'elle vivait toujours sur la côte ouest de l'île, à Okarito. Dans le magasin, il y avait même un de ses livres de poésie : *Conversations moeraki*. À voix haute, Anna m'a lu le poème *Silence d'un autre marae* :

« E nga iwi o ngai tahu
Where are your bones ?
My bones lie in the sea
Where are my bones ?
They lie in forgotten lands
Stolen ploughed and sealed [1] »

Reconnaître la poésie dans une langue autre que la sienne me semble une contribution supplémentaire à l'idée que l'essence poétique transcende les langues. Les cultures comme les différents langages ne seraient-ils qu'un lustre, une patine déposés sur l'essentiel ?

Ma fille est allée se faire percer l'oreille gauche. Elle rêvait d'une boucle dans la partie supérieure du cartilage. Au début, elle hésitait, se demandant ce que son père en penserait. Une boucle ailleurs que dans le lobe, c'est toujours non conventionnel. J'ai été surpris qu'elle se soucie de mon avis pour une affaire aussi personnelle. Ma fille peut faire ce qu'elle veut... Oui, mais les « interdictions » d'un père, même

1. « Où se trouvent mes os
Mes os reposent dans la mer
Où se trouvent mes os
Ils reposent dans des terres oubliées
Volées, labourées puis scellées » (traduction libre)

voilées, ne sont surtout pas simples à transgresser.

Prenant son courage à deux mains, elle s'est donc amenée à la boutique d'un Écossais perceur d'oreilles pendant qu'Anna et moi visitions les jardins de Queenstown, sur la presqu'île face à la ville. Pures délices pour les yeux. Jouissances pour l'odorat. Une forêt de pins blancs centenaires y encercle un jardin de roses – dont une espèce nommée *Aotearoa.* Le jardin entoure un étang de nénuphars roses et blancs. Quand nous avons retrouvé Isabelle, elle était radieuse, en état de réveillon.

Ça me fait drôle de savoir que je vais passer Noël ailleurs qu'en Amérique, dans les chaleurs de l'été par-dessus le marché. Fuyant le mauvais temps de la côte ouest, justement nommée Wetland, nous avons découvert Queenstown, sa paix et les chatoiements du lac Wakatipu. Dans la ville remplie de fêtards, le soleil du soir produit de tels éclats, derrière les quelques nuages posés sur l'horizon, entre les montagnes rondes, que je comprends pourquoi tant de chercheurs d'or, au XIXe siècle, furent attirés dans la région.

Nous passons la plus agréable des soirées dans un pub. À dix heures et demie du soir, après le traditionnel échange de cadeaux, nous nous dirigeons vers l'église anglicane voisine pour chanter des *Christmas Carols.* Je chante avec émotion, me foutant pas mal de ce qu'on peut penser de mon accent ou de mes fautes d'anglais, tout entier capté par la magie du moment. Je songe aux notables qu'on choisissait chaque année dans les paroisses du *Temps d'une paix* au Saguenay, dans Charlevoix ou dans le Bas-du-Fleuve, afin d'entonner le solo du *Minuit, chrétiens.*

Le lendemain, nous repartons en direction de Portobello, au sud-est de l'île, dans la région de Dunedin. Je ne pensais pas que nous pousserions si loin vers le midi. J'aurais aimé respirer davantage l'air des montagnes, marcher dans les Remarkables alignés au nord de Queenstown. J'aurais voulu faire une randonnée supplémentaire, peut-être atteindre les premières pentes du point culminant des Alpes kiwies, le mont Cook et ses trois mille sept cent cinquante-cinq mètres, mais de gros nuages maquillaient encore une fois le ciel. Je dois avouer que les filles m'ont un peu bousculé. Elles rêvaient de « pingouins », voulaient plutôt partir en direction de l'océan. Je me suis finalement plié à leur demande. Il nous aurait fallu un autre mois complet pour saisir tous les trésors de l'île du Sud. Mais les filles s'étaient mises dans la tête d'admirer les manchots bleus, des « pygmées » hauts de vingt centimètres. Pendant le réveillon, la sœur d'une amie qui travaille chez les Cris de Mistissini, au nord de Chibougamau, alors de passage à Queenstown, leur a parlé avec grand enthousiasme de la presqu'île d'Otago. Des volées de grands albatros, des armées de manchots nains, de grands manchots jaunes ont fait sauter les plombs de leur imagination.

Ces jours-ci, le nomade que je suis aurait besoin d'une période de sédentarité pour laisser les mots prendre leur temps. Curieusement, je suis souvent assailli par des idées de chiens de traîneau et de neige surabondante. La nuit dernière, j'ai rêvé de la Côte-Nord et d'un grand banc de poissons. Des brochets, des morues et des truites par milliers sautaient hors de l'eau, emplissant tout le ciel. Je me trouvais aux commandes d'un bateau de pêche, accompagné par des travailleurs de l'hôpital de Blanc-Sablon, sur la Basse-Côte-Nord du Québec. Je les guidais en leur expliquant qu'en été, parfois, les poissons viennent en surface et s'amusent à voler comme des oiseaux. J'ai ensuite rêvé que dans d'immenses bocaux papillonnaient des oiseaux de toutes les couleurs que nous pouvions caresser sans difficulté.

Aux portes de la réserve faunique de la presqu'île d'Otago, sur une plage collée à une clôture de barbelés qui sert à protéger les oiseaux de mer des intrus, Isabelle finit par découvrir deux femelles manchots qui couvent leurs œufs dans des trous creusés à même la dune, parmi les herbes sèches. Au large, des mâles attendent que nous quittions leur territoire. J'aimerais les voir se dandiner sur le sable, petits bonshommes en train de transporter dans leur bec deux ou trois lançons d'amour. Tout près des nids, une grosse otarie, les nageoires pectorales étendues comme des bras, expose son ventre aux derniers rayons du soleil en ayant l'air de dire : « Que j'en voie un me déranger ! »

En route pour le camping, nous passons à un cheveu de vivre notre premier véritable accident. Comme cela arrive si souvent quand tout est trop facile, nous avons cessé d'être vigilants. Dans une courbe, sur un chemin sablonneux juste assez large pour laisser passer une charrette, une grosse cylindrée fonce sur nous. Pleine d'enfants, elle est menée par une espèce de… de père énervé. Je donne un coup de roue en freinant. L'autre véhicule se retrouve dans le caniveau. Nous ne tombons pas à la mer, mais tout juste. Quand je stoppe, finalement, l'autre conducteur a réussi sans trop de problèmes à s'en sortir tout seul. Il repart. Je fais de même. Tout le monde a eu chaud.

Dans la baie où nous avons failli sombrer, des centaines d'oiseaux font le guet ou fouillent les vases : des tourneurs d'huîtres, des cygnes australiens, mais aussi d'incroyables *royal spoon billed* avec un bec en forme de spatule et une large aigrette sur le crâne. Des collines avoisinantes, un concert de bêlements nous rappelle que nous nous trouvons plus que jamais en pays kiwi. Afin d'admirer le spectacle, Anna et Isabelle s'assoient sur des rochers au bord de l'eau. Dans la lumière de la baie de Papanui, je me considère comme un bigorneau heureux, rien de plus, rien de moins.

Si un jour on ne me trouve plus, si je suis parti sans laisser d'adresse, que tous sachent que je me suis réfugié à Portobello, sur Aotearoa. La route pour s'y rendre épouse parfaitement les courbes de la baie, depuis le continent jusque devant le large. Il y a bien une autre voie « supérieure » pour retourner vers Dunedin, la petite ville universitaire. Nommée Highcliff, elle a été construite sur les crêtes. À tout moment, mes passagères me crient de surveiller la route au lieu de regarder les moutons et les champs et les villages et les baies et les bateaux et les loups-marins venus se prélasser sur les plages. Je chante fort, comme si, moi, je n'avais pas le vertige.

Aotearoa a été aimé par ses défricheurs, c'est l'évidence. Les allées, les champs, les fermes, les petits chemins, tout a été pensé, rêvé, forgé avec une passion bucolique. On a peut-être effacé la plus grande partie de la forêt indigène, mais un autre pays de Cocagne a été créé, de toutes pièces celui-là !

34

Le voyage tire à sa fin. Depuis une semaine, de grands vents soufflent sur le sud d'Aotearoa. Il fait très chaud. Un feu de brousse est en train de raser les montagnes, à une quarantaine de kilomètres de la côte, un peu avant Blenheim. Hier, on a même dû fermer la route nationale. Alors que nous progressons entre des collines calcinées, en direction de Picton et du traversier, nous apercevons deux hélicoptères qui charroient de l'eau dans de grands paniers suspendus. Des volontaires travaillent à bêcher les flancs de terre brun-noir. Des fermiers, placides, assis derrière d'antiques camions, bougent la tête en ayant l'air de dire : « Quel pays ! » Le long de l'accotement, à plusieurs endroits, l'herbe est toujours en feu, ce qui ne semble pas préoccuper les gens de la police locale qui nous font de grands signes : « Allez ! Circulez ! » À Picton, nous campons sous la pluie battante, comme si la Nature voulait s'associer aux pompiers pour éteindre tous les feux passés, présents et à venir.

Le lendemain, nous reprenons le traversier. Au menu du jour, à la cafétéria, il y a du poisson. Quoi de mieux qu'un bon *fish and chips* graisseux dans le temps des grands roulis ! Alors qu'une dame nous sert, j'essaie de faire rire Isabelle en jouant au gars saoul. Je titube en mâchant mes mots. Ma fille sourit. Ce n'est pas rien, parfois, de faire rire sa fille ! La dame, mi-sérieuse, me dit qu'on ne sert pas les alcooliques sur les bateaux kiwis. Je retrouve Anna, le nez collée à une fenêtre, en admiration devant les montagnes bordant le détroit de Cook. Elle est un peu triste que son voyage s'achève déjà.

Que de route parcourue depuis trois mois : dix-huit mille kilomètres. La Honda a survécu. Mais comment sont ses freins aujourd'hui, ses reins, sa rate, son carburateur, son foie ? À chaque démarrage, elle rote beaucoup. Isabelle aime plus que jamais prendre le volant, partout où nous ne risquons pas de rencontrer un *policeman.* Elle met alors le volume de la radio au maximum, ouvre les fenêtres et mène sa barque en véritable ado. Terrible ! Elle rêve de revenir en Nouvelle-Zélande, seule, et d'y louer une bagnole sport. Elle prendrait alors sur le pouce tous les beaux gars qu'elle croiserait. Elle a un faible pour les Américains tranquilles à barbichette et à l'œil bleu, avec sac au dos et fond de paix cannabisée dans le ciboulot. Gamine !

Après avoir fait nos adieux à Anna qui a prévu de passer le Jour de l'An avec ses enfants, à Montréal, nous profitons de nos derniers jours à Piha, près d'une plage de fin sable noir, un peu à l'ouest d'Auckland, pas très loin d'où l'on a tourné plusieurs séquences du film *La leçon de piano*, de Jane Campion. Des surfeurs s'amusent à grimper sur le dos d'énormes vagues. Grâce à un *boogie-board* prêté par le propriétaire du camping, nous faisons nous-mêmes l'expérience des rouleaux de la mer de Tasmanie. Apprentis surfeurs, nous jouons à nous laisser projeter sur la plage, des petits cailloux plein nos maillots. Glissades, roulades et ruades dans les flots écumants ! Les Maoris connaissent tout de la houle et de ses rythmes. Le gardien du camping, un Samoa, nous raconte que, pendant sa jeunesse, il venait toutes les fins de semaines surfer à Piha. Avec des amis, il aimait plonger du haut des falaises. Comme les acrobates d'Acapulco, il leur fallait compter, attendre la bonne vague qui les empêcherait de s'aplatir contre les galets.

Selon les marées et la saison, les gardiens de plage fichent des fanions rouges dans le sable afin d'indiquer où les nageurs peuvent s'amuser sans risquer de se faire emporter par les courants et contre-courants. L'année dernière, quatre Sud-Africains d'une même famille se sont noyés alors qu'ils tentaient de sauver une jeune fille happée par des remous. Quelques mois plus tôt, deux Coréens avaient été submergés par la vague alors qu'ils marchaient nonchalamment sur les rochers. On a retrouvé leurs cadavres à l'extrémité nord de l'île ! Les Kiwis ne détestent pas en remettre avec les histoires macabres, comme s'ils avaient envie de souligner que leur pays n'est pas qu'un éden.

Un soir, nous nous payons une longue promenade au bord de l'eau, au moment de la marée montante. Dans une baie, un couple attend que nous soyons passés avant de se jeter à la mer, tout nus. Nous escaladons un cap fait de boulders collés les uns aux autres par une espèce de ciment naturel. À nos pieds, des champs de varech se laissent brasser par le ressac. Deux Japonais, équipés de longues cannes souples, s'essaient à la pêche. Des jeunes Maoris, en retrait, semblent désapprouver leurs manœuvres, comme s'il n'y avait jamais eu aucun poisson dans ce trou-là. Au pied d'une falaise, bien à l'abri du vent, nous découvrons une crique dans laquelle l'océan, par un mince passage, s'engouffre en rugissant. Pour nous y rendre sans nous mouiller, nous courons pendant le retrait de la vague. Là, une famille de Kiwis achève de souper. Nous admirons les geysers hauts de plusieurs dizaines de mètres produits par les coups de boutoir de la mer de Tasmanie qui, nous en faisons la remarque, rugit beaucoup plus que le Pacifique. Isabelle s'assoit à l'indienne, comme pour méditer. Je la laisse. Au sommet de la falaise, le large à mes pieds, je respire comme on respire dans la toundra, quand on est loin, très loin de tout village. J'aime l'affrontement avec les caps, les vents furieux et les grands espaces, froids et bleus. J'y retrouve toute ma satisfaction de vivre.

35

Après avoir enfilé un *shishkebab* dans Queen street, à Auckland, nous passons les dernières heures de l'an 2000 au cinéma. Un peu avant minuit, dehors, c'est la cohue. Des badauds par milliers vont et viennent au gré des attroupements qui se forment autour des musiciens de rue. Je suis heureux, n'ayant pas besoin d'autre chose que de la présence de ma fille et du ciel étoilé, encore visible malgré les buildings.

Puis, sagement, nous revenons vers Piha. Je suis en paix, plus que je ne l'ai été durant toute ma vie peut-être. Comme nous avons envie d'un repas du Jour de l'An, nous faisons un arrêt dans un restaurant niché à flanc de montagne. Un Français nous accueille. Depuis plusieurs années, il vit en Nouvelle-Zélande pour assouvir sa passion première : le surf. Nous discutons un peu avec lui. Mais comme son restaurant est bondé, nous repartons bientôt pour le camping où nous nous cuisinons les meilleures rôties de l'année. Une Kiwie, qui préparait un gueuleton pour sa famille, nous parle de la plage bien-aimée de son enfance. Elle a dû s'expatrier à Wellington à cause de son travail. Son mari a suivi. Mais tous les deux, ils s'ennuient de Piha. Chaque année, ils y emmènent leurs enfants pour les vacances.

Pendant la nuit, il tombe une pluie diluvienne. Sans la toile imperméable que nous avons ajoutée au plancher de la tente, nous serions inondés. Des bourrasques cassent les branches des arbres. Sans notre poids, la tente serait emportée. Imprévisible Aotearoa ! À l'aube, par grand soleil, je vais marcher en forêt. Au bout d'un petit chemin, je trouve une chapelle qui a l'air désaffectée. Non loin de là, dans un étang, s'ébrouent des malards et quelques *pukekos* aux allures de guerriers préhistoriques avec leur gros bec rouge dont la corne se prolonge jusqu'au front. Ils ont une démarche d'insecte, montés sur de longues pattes munies de doigts arachnéens qui leur permettent de se tenir en équilibre sur les feuilles de nénuphars : des guerriers, mais fragiles, peut-être à trois pas de l'extinction.

Après le déjeuner, je reviens observer les *pukekos* avec Isabelle. Cinq ou six d'entre eux se fondent à un groupe de malards aux faciès nettement plus « modernes ». Nous commençons à jeter du pain à tout ce beau monde. Deux femelles canards accourent, suivies de près par leurs oisillons qui tentent de se frayer un passage à travers les queues retroussées. Rapidement, c'est la curée. Allons-nous devenir les bienfaiteurs de la Grande Faune ailée de Piha ? Les *pukekos* quêtent leur pitance comme les autres, s'enhardissant même à nous pincer les doigts. Soudain, alors qu'une femelle malard a le dos tourné, un *pukeko* saisit l'un de ses oisillons par la peau du cou et s'envole avec sa proie qui hurle. La mère, folle de colère, part à leur poursuite, couinant contre le *pukeko* et contre le monde entier. Isabelle s'écrie que nous sommes responsables de cet attentat. La femelle malard poursuit le bandit jusque dans sa retraite, dans le coin gauche de l'étang, mais les autres *pukekos* lui font obstacle. Battant en retraite, elle retourne auprès de ses oisillons restants. À qui mieux mieux, les *pukekos* déchiquettent leur victime et s'empiffrent de sa viande. Tout à fait écœurée, Isabelle fulmine. La Nature n'est bucolique qu'en apparence. Si elle a l'air parfaite, comme ça, elle sait être implacable. C'est encore et toujours la loi du plus fort qui domine. De façon surprenante, j'entends ma fille parler de venger la mort du petit canard avec un bon coup de fusil. « Sommes-nous exclusivement soumis aux lois de la Nature ? » Je cherche à la questionner, à faire avancer le débat. Très beau sujet de discussion. Mais elle ne tient plus à parler de quoi que ce soit. Furibonde, elle s'enfuit de ce lieu de perdition.

Ma fille est capable de tels accès de colère ! Elle croit que l'écologisme sauvera le monde. Elle maugrée contre le mal ambiant. Elle a foi en l'avenir. Sans elle, je ne serais peut-être qu'un « vieux », une espèce de croûton qui a perdu le courage de se battre et de croire en l'humanité vaillante. Je regarde ma fille et je me dis qu'elle me contamine avec sa fougue pure.

36

Pour sa dernière soirée en pays kiwi, ma fille s'en va, invitée par un gars originaire de l'île Jersey qu'elle a rencontré à notre arrivée au camping. Je serais bien allé au cinéma avec elle. « Ça ne te dérange pas que je sorte ? – Euh… non, bien sûr ! »

Après avoir marché longtemps sur la plage, je reviens vers la tente pour me coucher. J'attends ma fille tout en ne l'attendant pas. Je me sens tout de même un peu inquiet, de cette légitime inquiétude de père-mère qui se trouve loin de tout et de tous. De fait, pour la première fois du voyage, je suis un brin angoissé à cause de ma fille. Non, pour la seconde fois ! Il est vrai que lorsque je l'avais laissée seule dans Auckland…

Ce matin, j'ai dû me rendre au centre-ville pour faire remplacer un phare de l'auto. J'ai demandé à Isabelle si elle voulait m'accompagner. Elle a refusé. Elle dormait trop bien. Mais quand elle a su qu'un gars de la Colombie-Britannique qui campait tout près m'avait demandé de le conduire jusqu'à Auckland, elle a dit : « Quel âge il a ? – Vingt-cinq, vingt-six ans... – Trop vieux ! » Elle s'est retournée, la tête dans l'oreiller.

En randonnée en Nouvelle-Zélande depuis trois mois, le gars m'a appris qu'il avait escaladé le mont Tasman, le deuxième sommet en importance de l'île du Sud. Il comptait bientôt partir pour la Thaïlande. Depuis un an, il vagabonde un peu partout dans le monde. Il m'a posé bien des questions à propos de la médecine. Il avait l'impression que la profession d'ingénieur – la sienne – ne lui permettrait pas de triper autant que s'il avait été médecin. Sa mère était infirmière. Je lui ai dit que la médecine était certes un métier attrayant et utile, mais que, pour voyager, il ne fallait pas nécessairement beaucoup de sous. Du temps, par contre, beaucoup de temps, du temps qu'on s'alloue, qu'on accepte de voler à une société qui détermine trop souvent notre horaire, cette organisation du temps qui nous fait et nous défait.

Il m'a ensuite raconté cette histoire qu'il tenait de son père, ami d'un peintre animalier. Un jour, au large de l'île de Vancouver, alors que le peintre naviguait, il nota la présence de plusieurs orques autour d'une petite île sur laquelle dormaient des phoques. Les *killer whales* avaient envie de viande fraîche ; mais, sur leur piton rocheux, les phoques restaient bien protégés. C'est alors qu'un orque a tourné plusieurs fois autour de l'île, comme s'il avait étudié la situation. Les autres nageaient à proximité. Soudain, il a bondi, prodigieusement, volant au-dessus des rochers et effrayant tout le gibier qui s'est jeté à la mer en se dispersant. Tout s'était passé comme si la baleine avait calculé avec intelligence la surface de l'île et mesuré la circonférence avec une précision assez grande pour sauter dans les airs, pareil à un épouvantail marin, mais de manière à ne pas s'écraser contre les aspérités. Dans la mer, ce fut le carnage !

Incapable de m'endormir, je me remémore cette histoire et bien d'autres. Un dernier soir en pays étranger, c'est toujours important, déterminant même. Tous les voyageurs le savent. Les moments ultimes sont ceux qui laissent le plus de traces... Mais s'il fallait qu'il arrive quelque chose à ma fille ! Je n'ai pas pensé lui demander plus de précisions à propos de l'endroit où elle devait passer la soirée. Le savait-elle elle-même ? Elle a vaguement parlé d'un pub... Mais c'est la rase campagne ici ! J'ai confiance en elle. Mais comment avoir confiance en ces autres que je ne connais pas ? Dernier soir. Dernières minutes. Dernières angoisses. Demain, la journée sera rude. Il nous faut vendre l'auto, sauter dans un taxi, nous diriger vers l'aéroport, tout cela avant midi.

Passé minuit, je me lève, stressé. C'est « son » soir, je sais. J'ai simplement recommandé à ma fille d'être « sage ». Mais... Je m'habille. Je pars à pied. Je fais le tour du terrain de camping. Si elle était là, autour d'un feu de camp, en train de discuter... Je ne vois que deux personnes qui font la vaisselle dans la cuisinette. De quoi ai-je l'air ? De quoi a l'air un père inquiet qui cherche sa fille dans la nuit ! Je me rends aux toilettes. Je suis décidé à partir en auto à sa recherche. Mais où ? Il doit bien y avoir dix mille pubs dans Auckland et les environs. Soudain, j'entends la voix d'Isabelle. Elle me cherchait. Elle est allée à la tente et je n'y étais pas. Elle m'a vu entrer aux toilettes. « Tout va bien ? » me demande-t-elle de l'extérieur. « Ça va ! Comment a été ta sortie ? – Super. Vraiment super ! » Je lui recommande de ne pas rentrer trop tard. Elle répond avec une drôle de voix : « Encore une heure ou deux. »

Je me recouche. Je ne suis plus si inquiet, mais je ne m'endors plus. Je lis, j'éteins ma lampe, j'ai la « pitourne » jusqu'à quatre heures du matin. Quand Isabelle revient, elle se laisse tomber tout habillée sur son sac de couchage. La bouche empâtée, elle dit « bonne nuit » et s'endort aussitôt.

À huit heures, il est grand temps de décoller. Je fais la distribution de la nourriture qui nous reste. Les campeurs nous remercient. Isabelle, groggy, fait dans le genre « végé-pâté ». Plusieurs personnes nous souhaitent bon voyage, dont le Jerseyman avec lequel Isabelle a vécu sa dernière nuit sur Aotearoa. Ensemble, ils piquent une longue jasette. Il me fait penser au frère aîné d'Isabelle : même carrure, même coupe de cheveux, même regard doux.

37

Entassés dans un avion pas si grand qu'on pourrait le croire, nous parvenons tout juste à aspirer l'air nécessaire pour ne pas suffoquer. Assis les uns sur les autres, nous le resterons pendant douze heures d'affilée, jusqu'à Los Angeles. Les compagnies aériennes ne se gênent pas pour rentabiliser leurs vols à outrance. On nous a compartimentés comme des poulets. Enfants et vieillards sont pâles, proches de dégobiller. Un gros monsieur, à ma gauche, prend beaucoup de place. Il sent l'ail comme c'est pas possible. Je partirais en kayac. Je traverserais le Pacifique avec mes propres moyens pour éviter pareille promiscuité. J'aimerais que l'avion ait un petit problème technique, qu'il revienne à son point de départ.

Un jour ou l'autre, il faut pourtant rentrer chez soi. C'est toujours au moment des retours qu'on se rend compte de la distance franchie. J'ai le cœur gros. Je manque de mots. Je serais resté sur Aotearoa pour rencontrer et découvrir, encore et encore. J'aurais aimé vivre six mois de plus avec ma fille aînée. Il me semble que je n'ai fait que sentir des bribes de cette perle pacifique. J'ai le sentiment que tout n'a pas été facile pour Anna. Quelques semaines de plus, des aventures supplémentaires nous auraient encore plus soudés, fille, père et amoureuse. Peut-être... Il m'aurait fallu plus de temps, d'autres longues promenades en montagne ou sur les plages, des journées à attendre le soleil pour nous lancer dans les vagues ou des journées à marcher dans les forêts de *nikaus*, à découvrir des cascades pour nous rafraîchir, là où des enfants de toutes les couleurs se baignent avec des chiens fous.

J'aime les vallées en fleurs, les volcans, les *pongas*, les *tuis* et leur chant du matin, les baies cachées par la végétation dense, les vagues de la mer de Tasmanie, les soleils couchants sur le Pacifique, les longues plages de sable noir, les cratères, les volcans, les sommets enneigés, les chemins inconnus, les chorales maories, les allées de pins blancs, les collines broutées comme à perpétuité, les millions de moutons, l'odeur des *manukas*, les routes pour casse-cous, les otaries sympathiques et, plus que tout peut-être, les enfants aux yeux noirs, les va-nu-pieds.

Tout voyage n'est qu'un prélude à d'autres départs. Il y avait une famille de Tahitiens à l'aéroport d'Auckland. Ils m'ont demandé de prendre une photo d'eux. Ils avaient le rire facile. Quand ils se sont aperçus que je parlais français, ils ont dit : « Vous êtes Québécois ! » J'ai alors pensé : « Je fais comme Gauguin. Je repars ! » Mais je n'oublie pas mes racines. Il me faut maintenant serrer mon autre fille dans mes bras. Son père n'est pas qu'un vagabond. Je reverrai bientôt mes deux grands fils aussi. Je les embrasserai. Puis je retrouverai mon amoureuse. Nous referons l'amour comme si nous avions été séparés depuis six mois.

Mais bientôt, je sais, je serai partant pour une autre virée, quelque part, au sud du Sud, ou dans un autre Nord.

Cet ouvrage
composé en Berthold Baskerville corps 12 sur 14
a été achevé d'imprimer
en septembre deux mille trois
sur les presses de Métrolitho,
Sherbrooke (Québec).